1001 trucs et astuces pour paraître plus jeune

1001 trucs et astuces pour paraître plus jeune

Emma Baxter-Wright

LES ÉDITIONS

LA PRESSE

Éditrice : Lisa Dyer
Traduction de l'anglais : Valerie Sara Price
Directeur artistique : Anna Pow
Design : Vicky Rankin
Production : Caroline Alberti
Illustrations : Carol Morley

. Dépôt légal
Bibliothèque et Archives nationales
du Québec, 2009
Bibliothèque et Archives Canada, 2009
1er trimestre 2010

LES ÉDITIONS
LA PRESSE

Président
André Provencher

7, rue Saint-Jacques
Montréal (Québec) H2Y 1K9
514 285-4428

ISBN : 978-2-923681-30-6

INTRODUCTION

Saviez-vous qu'il est possible de redonner du tonus à un menton qui s'affaisse simplement en faisant travailler les muscles du visage? Ou encore qu'une alimentation riche en acides gras essentiels donnera de l'éclat à votre peau? Qu'une bonne nuit de sommeil est essentielle à la régénération physiologique?

Bien qu'il ne soit pas possible d'arrêter le temps et de suspendre le processus du vieillissement, il y a des milliers de petites choses que vous pouvez faire pour en ralentir la marche. De la chirurgie esthétique à l'adoption de bonnes habitudes quotidiennes, il existe toutes sortes de façons de prévenir les dommages et de renverser les signes apparents du vieillissement. Nous avons rassemblé pour vous 1001 trucs et astuces qui vous aideront à mettre en valeur vos atouts tout en vous donnant les conseils qu'il vous faut pour paraître – et vous sentir – 1001 fois plus jeune.

Palmarès des 10 meilleurs trucs pour paraître plus jeune

15
L'EAU EST SOURCE DE VIE
(voir Soins de la peau, page 11)

180
UTILISEZ UN FPS 30 À TOUS LES JOURS
(voir Soins de la peau, page 48)

273
CHEVEUX GRIS: FAUT-IL LES COLORER?
(voir Soins des cheveux et astuces coiffure, page 68)

818
SOYEZ UNE ZONE
NON-FUMEUR
(voir Santé et nutrition,
page 184)

401
SOURCILS ÉPILÉS :
LIFTING INSTANTANÉ!
(voir Maquillage et
esthétique, page 95)

840
ÉVITEZ L'EXCÈS DE POIDS
POUR VIVRE PLUS LONGTEMPS
(voir Santé et nutrition, page 189)

528
OPÉRATION
GRAND MÉNAGE
(voir Conseils mode, page 121)

960
RESTEZ BRANCHÉE
(voir Équilibre et
bien-être, page 213)

668
UNE LONGUE VIE EN SANTÉ
(voir Remise en forme, page 149)

751
DÉCOUVREZ LES ALIMENTS ORAC
(voir Santé et nutrition, page 172)

mieux comprendre sa peau

1 COMBATTEZ LES RADICAUX LIBRES

Les radicaux libres sont de petites molécules d'oxygène instables qui s'attachent à d'autres cellules du corps et les attaquent. Principale protéine de la peau, le collagène est particulièrement vulnérable face aux radicaux libres, dont l'action nocive entraîne une dégradation de ses molécules. Celles-ci se réorganisent alors différemment et deviennent moins souples et mobiles. Une alimentation riche en antioxydants, de même que l'utilisation régulière de produits qui en contiennent, peuvent contribuer à réduire l'effet des radicaux libres.

2 HYDRATEZ-VOUS

Avec l'âge, les cellules ne se régénèrent plus à la même vitesse, ni de façon aussi efficace. Les cellules deviennent de forme irrégulière, ce qui change l'apparence de la peau et l'empêche de bien retenir l'humidité. Il en résulte une peau dont la texture et les capacités de rétention d'eau sont affaiblies. On recommande aux femmes de boire 2,2 litres d'eau par jour, et 3 litres pour les hommes.

3 LA PERTE DE GRAS FAIT VIEILLIR

En vieillissant, la masse de tissu adipeux diminue, les muscles faciaux se relâchent et les os se détériorent, de telle sorte que la structure sur laquelle repose le visage devient plus faible. Les personnes plus jeunes ont davantage de cellules adipeuses, tout comme celles ayant un surplus de poids, ce qui explique pourquoi les personnes bien portantes ont souvent moins de rides en vieillissant.

4 ATTAQUEZ-VOUS AUX CAUSES

Bien connaître toutes les causes possibles du vieillissement prématuré de la peau vous permettra d'agir en prévention. Les radicaux libres demeurent les principaux coupables en raison de l'exposition de la peau au soleil, à la fumée de cigarette, aux toxines et à la pollution; mais il ne faut pas oublier qu'une mauvaise alimentation, la consommation excessive d'alcool, le stress, le manque de sommeil et l'utilisation de produits pour la peau trop agressifs peuvent tous accélérer le processus.

5 LE VIEILLISSEMENT DE VOTRE PEAU : PHOTO OU CHRONO?

Le vieillissement cutané chronologique résulte de facteurs intrinsèques naturels et se manifeste par une peau plus mince et moins élastique, mais qui est par ailleurs lisse et sans taches. Le photovieillissement cutané, cependant, se reconnaît à une peau marquée par des rides, des taches de vieillesse, une pigmentation irrégulière et une apparence rappelant le cuir.

6 IDENTIFIEZ VOTRE TYPE DE PEAU

Afin de choisir les produits de soins pour la peau qui vous conviennent le mieux, vous devez connaître votre type de peau. La peau sèche est habituellement caractérisée par un ton inégal, des capillaires sanguins visibles et une apparence squameuse, tandis que la peau grasse est plus sujette aux pores visibles, à l'acné et à des régions de pigmentation.

7 LA PEAU PEUT CHANGER

La texture de la peau change fréquemment en fonction de facteurs environnementaux comme la pollution et le climat, ainsi vous devriez changer vos produits de soins pour la peau en conséquence. Vérifiez l'état actuel de votre peau en plaçant dans la lumière du jour un miroir grossissant tout près de votre visage nettoyé pour trouver les indices révélateurs d'un changement.

adopter de bonnes habitudes

8 FAITES-VOUS PLAISIR

Vous vieillissez, alors n'hésitez pas à vous gâter en vous offrant régulièrement un traitement facial. Les femmes qui travaillent fort pour rester belles affirment qu'il n'existe pas de femmes laides en ce monde, seulement des femmes qui se négligent! Si votre peau respire le bonheur, vous vous sentirez belle de la tête aux pieds.

9 GARE AUX OREILLERS!

Lorsque vous enfouissez votre visage dans un oreiller, cela met de la pression sur votre peau et réduit la circulation sanguine. Avec le temps, il en résultera des dommages qui entraîneront une dégradation du collagène et l'apparition de ridules et de rides. Optez pour la soie, le satin ou le coton très fin comportant un nombre élevé de fils au pouce afin de minimiser la friction entre la peau du visage et l'oreiller.

10 DORMIR SANS RIDER

Afin de garder votre tête dans une position optimale durant le sommeil (cou étiré vers le haut), dormez sur un oreiller ergonomique fait de mousse haute densité, qui épousera la forme de votre tête tout en fournissant un soutien maximal. Cela contribuera à prévenir la formation de rides causées par le sommeil sur votre visage et votre cou.

11 CESSEZ DE FUMER

Fumer modifie le processus de réparation de l'ADN du visage, ce qui entraîne la dégradation du collagène et des fibres d'élastine et l'apparition de ridules et de rides prématurées. La cigarette prive également la peau d'oxygène et de nutriments essentiels et la déshydrate sévèrement, toutes des causes de vieillissement prématuré.

12 ÉVITEZ LA FUMÉE

Attention à la fumée secondaire. Certains chercheurs croient que l'exposition à la fumée de cigarette dans un endroit restreint est aussi dommageable pour votre peau que les rayons ultraviolets du soleil. La fumée a un effet asséchant sur la surface de la peau et comprime les vaisseaux sanguins, réduisant ainsi la circulation et l'apport en oxygène. Le tabagisme passif peut même entraîner un déficit de vitamine C, un ingrédient essentiel pour conserver une peau saine et bien hydratée.

13 ABANDONNEZ VOS MAUVAISES HABITUDES

Tout mouvement répétitif comme mâcher de la gomme, froncer les sourcils et fumer une cigarette entraîne la formation de fines ridules. Avec le temps, des déchirures microscopiques apparaissent sur la peau et provoquent une inflammation qui endommage le collagène. L'action de fumer vous force à plisser les yeux, exagérant les rides dans cette région du visage. Fumer vous force aussi à plisser la bouche : à chaque fois que vous aspirez, les petites rides autour de votre bouche s'élargissent.

14 LA MEILLEURE POSITION POUR DORMIR

Dormir sur le côté en position fœtale favorise la formation de plis et de rides sur le côté de votre visage, où la peau est particulièrement mince. Essayez de dormir sur le dos toute la nuit (et évitez de vous retourner et de baver sur l'oreiller), si vous aimeriez vous réveiller avec un visage lisse et sans plis.

15 L'EAU EST SOURCE DE VIE

Boire six verres d'eau par jour vous aidera à contrôler votre appétit, à métaboliser le gras et à garder votre corps et votre peau bien hydratés et d'apparence plus jeune. Les colas, les tisanes et les jus de fruits ne fournissent pas les mêmes avantages pour votre corps qu'un simple verre d'eau.

nettoyer la peau

16 CHOISISSEZ UN NETTOYANT ADAPTÉ À VOTRE TYPE DE PEAU

Il y a une chose sur laquelle s'entendent tous les dermatologues : vous devez utiliser des produits appropriés à votre type de peau. La peau sèche doit être nettoyée sans enlever la couche protectrice naturelle de la peau, ce qui nécessite un nettoyant riche et laiteux. La peau grasse requiert des produits à base d'huile car ils permettent de mieux dissoudre le sébum. Pour les peaux normales, essayez n'importe quel produit doux à base d'eau.

17 ÉCLAT DE FRAÎCHEUR

Si vous mélangez un peu de lotion exfoliante avec votre nettoyant pour le soir, vous vous retrouverez le lendemain matin avec un visage resplendissant, débarrassé de ses impuretés.

18 PRENEZ DES DOUCHES COURTES

En vous lavant le visage et le corps avec de l'eau trop chaude et du savon, vous perturbez l'humidité naturelle de votre peau; vos douches quotidiennes doivent être courtes et la température de l'eau doit être maintenue à un niveau modéré si vous voulez éviter d'avoir la peau sèche.

18 NETTOYANTS RAPIDO PRESTO

Il existe sur le marché une grande variété de lingettes nettoyantes, qui ont toutes l'avantage d'accélérer la routine de nettoyage du visage, mais choisissez toujours un produit adapté à votre peau. Plusieurs de ces produits ont été conçus pour les adolescentes et sont beaucoup trop agressifs pour les peaux plus matures. Même les variétés anti-âge peuvent s'avérer assez chimiques et agressives, ainsi il est préférable d'opter pour des lingettes conçues spécifiquement pour les peaux sensibles.

20 PAS TOUCHE!

Résistez toujours à l'envie de triturer vos points noirs et boutons d'acné. Le plus petit point noir peut s'infecter, et ce qui a commencé comme une infime petite imperfection à l'horizon peut se transformer en cratère de la grosseur d'un pois. Avant de vous coucher, appliquez un peu de crème pour bébé au calendula dont l'effet asséchant pourra agir durant la nuit.

21 FAITES PEAU NETTE AVANT LA NUIT

Une peau mature demande plus d'attention que celle que l'on a à l'adolescence : n'allez jamais vous coucher avant d'avoir enlevé toute trace de maquillage. De tels résidus bouchent les pores et empêchent votre peau de respirer, favorisant ainsi l'apparition de boutons et de points noirs. De plus, vous disposez de plus de temps le soir que le matin pour prendre soin de votre peau. Alors faites-en une habitude.

crèmes, sérums et hydratants

22 L'EAU FAIT DES MIRACLES

Donnez un coup de pouce aux ingrédients actifs dans vos produits en les appliquant sur une peau légèrement humide. Passez des mains mouillées sur votre visage et votre corps avant d'utiliser une crème anti-rides ou un sérum anti-cellulite; non seulement commenceront-ils à faire leur travail plus rapidement, mais ils pourront également pénétrer la couche superficielle de la peau plus facilement.

23 FAITES LE MÉNAGE DE VOS ÉTAGÈRES

Les crèmes pour la peau qui contiennent des ingrédients actifs ont une durée de vie limitée : il ne faut pas s'attendre à ce qu'elles durent éternellement. Chaque mois, faites le tri et disposez de tous les échantillons gratuits et des achats de dernière minute. Investissez seulement dans des produits adaptés à votre âge et à votre type de peau.

24 UNE PEAU QUI VIEILLIT A BESOIN DE SOINS

En vieillissant, la peau du visage devient plus mince et plus sèche. Elle requiert une protection supplémentaire et beaucoup de crème hydratante, particulièrement en hiver. Évitez les lotions toniques agressives, et réhydratez votre peau avec un masque raffermissant.

25 FONCTIONNENT-ILS VRAIMENT?

Si vous doutez de l'efficacité de vos produits anti-âge, réduisez leur nombre. La plupart des gens en utilisent un trop grand nombre, de telle sorte qu'il est difficile d'évaluer l'efficacité de chacun. Outre vos crèmes de jour et de nuit habituelles, essayez une seule autre crème antirides pendant une semaine afin de voir si vous en retirez des résultats bénéfiques.

26 SURDOSE DE PRODUITS

Surcharger votre peau avec un trop grand nombre de produits peut obstruer les pores et favoriser l'apparition de petites protubérances rugueuses. Afin de garder votre peau bien hydratée et lisse, réduisez le nombre de lotions et de crèmes que vous utilisez, et optez plutôt pour un soin restructurant une fois par semaine et une crème hydratante quotidienne de bonne qualité et munie d'un bon FPS.

27 SIMPLIFIER LA ROUTINE

Évitez d'appliquer sur votre peau plusieurs couches de produits différents. Un trop grand nombre d'ingrédients différents, tout comme une trop grande quantité de lotion, finira par irriter votre peau et la rendre hyper-sensible.

28 TRAVAIL DE NUIT

C'est pendant la nuit que la peau se régénère et se répare le mieux, particulièrement entre 1 heure et 3 heures du matin. Les produits destinés à réparer les boutons et les éruptions cutanées seront donc plus efficaces la nuit. Utilisez un soin de nuit renfermant un acide après avoir bien nettoyé la peau, ce qui permettra d'exfolier les couches superficielles, tout en hydratant les couches plus profondes.

29 FAITES LE PLEIN D'OXYGÈNE

Augmentez l'efficacité de votre crème de nuit revitalisante; avant d'appliquer votre crème, prenez cinq grandes respirations afin de stimuler la concentration d'oxygène dans votre peau.

30 LE SÉRUM AVANT TOUT

Un sérum qui contient des ingrédients « actifs » s'utilise habituellement avant la crème hydratante. Les sérums sont des produits intensifs : à peine quelques gouttes suffisent… il vaut donc la peine de vous procurer le meilleur produit que vous puissiez vous permettre. En vieillissant, la peau produit moins de sébum et requiert une hydratation soutenue, alors utilisez à la fois un sérum et un hydratant pour un résultat optimal.

31 COMBATTEZ LA POLLUTION URBAINE

La pollution urbaine a des effets dévastateurs sur votre peau. La poussière, les saletés et le smog peuvent tous obstruer vos pores et étouffer votre peau. Utilisez un hydratant quotidien conçu spécialement pour la vie en milieu urbain afin de lui fournir une barrière contre la pollution. N'oubliez pas de bien vous nettoyer la peau à la fin de la journée.

32 EN QUÊTE D'UNE PEAU RADIEUSE

L'illuminateur de teint est un nouveau produit anti-âge qui vise les cellules de l'épiderme qui se sont durcies et ont perdu leur capacité à réfléchir les tons rosés de la lumière. Les illuminateurs amplifient la réflexivité de la peau et donne un éclat de fraîcheur au teint.

33 LES BIENFAITS DES SÉRUMS

Une peau mature bénéficiera de l'utilisation de sérums, dont les ingrédients ciblés ont des effets raffermissants et revitalisants. Ces produits pénètrent l'épiderme plus en profondeur que les hydratants en vertu de leur plus petite structure moléculaire.

34 RAFFERMIR AVEC SAGESSE

Les crèmes raffermissantes sont idéales pour la peau qui s'est relâchée et qui a perdu de son élasticité naturelle car elles redonnent du tonus tout en hydratant. Elles renferment habituellement un acide hyaluronique qui contribue à la régénération du collagène et à la création d'une structure plus ferme.

35 ESTOMPEZ VERGETURES ET RIDES

Utilisé à l'origine pour améliorer l'apparence des vergetures, le Strivectin a par la suite été lancé sur le marché comme une version crème miracle du Botox. Ce produit est basé sur la technologie des peptides qui aide la peau affectée par le photovieillissement et est réputée plus efficace que la vitamine C ou le rétinol. Bien qu'aucune crème ne soit en mesure d'effacer les rides, certaines recherches ont montré que le Strivectin pourrait prévenir l'apparition de nouvelles ridules et réduire la profondeur des rides existantes.

36 HYDRATANT EN PREMIER

Avant de vous maquiller, utilisez toujours un hydratant afin de donner à votre peau une apparence fraîche et saine. Attendez ensuite 5 à 10 minutes avant d'appliquer votre maquillage.

les ingrédients gagnants

37 COUP DE POUCE ANTI-INFLAMMATOIRE

Les nouveaux produits anti-âge sont remplis d'ingrédients qui agissent comme un anti-inflammatoire. Les rides profondes sont traitées comme des blessures à l'aide de crèmes « curatives ».

38 SOINS PRÉVENTIFS

Bon nombre de dermatologues réputés recommandent de choisir un hydratant renfermant les ingrédients antioxydants suivants, afin de neutraliser les effets de dommages potentiels futurs : l'Idébénone, l'acide férulique, les vitamines C et E, la coenzyme Q10 et le lycopène.

39 RECHERCHEZ LES INGRÉDIENTS « ACTIFS »

Selon la loi, l'élément qui figure en premier sur la liste d'ingrédients d'un produit doit être celui dont la concentration est la plus élevée. Le terme « actif » signifie que l'ingrédient agit sous la surface de la peau afin de produire des changements visibles. Pour être efficace, un tel produit doit toutefois être protégé de l'air et de la lumière, et utilisé régulièrement.

40 LE COLLAGÈNE COMMENCE AVEC UN C

La vitamine C est essentielle et devrait se retrouver à la fois dans votre alimentation et dans vos crèmes pour la peau car elle est nécessaire à la formation du collagène, la protéine qui donne à la peau son élasticité et sa fermeté. La vitamine C est aussi un antioxydant qui détruit les radicaux libres nocifs causés par la pollution, le stress et une mauvaise alimentation. Si on leur laisse la voie libre, ces radicaux libres s'attaqueront à la peau et entraîneront son vieillissement prématuré.

41 LE KIWI, UN DÉLICE POUR LA PEAU

En plus de contenir de la vitamine C, de la vitamine E, du potassium et du magnésium, le kiwi contient des concentrations élevées d'acide alpha-linolénique (ALA), dont les propriétés contribuent à retenir l'humidité de la peau et des cheveux. L'huile de pépins de kiwi contient plus de 60 % d'ALA, ce qui en fait un ingrédient idéal pour les produits pour la peau.

42 CHAMPIGNONS MAGIQUES

L'extrait fermenté de champignon Kombucha est un nouveau traitement pour le visage qui promet de multiplier la production de collagène dans les cellules de la peau. Le résultat est une peau revitalisée et de belle apparence.

43 ON EST PRO-PEPTIDES!

Connue depuis longtemps pour son efficacité dans le traitement de la peau endommagée, la technologie des peptides est maintenant utilisée pour réduire les ridules et les rides. Les peptides peuvent stimuler la production de collagène et d'acide hyaluronique dans les couches superficielles de la peau, un élément vital pour maintenir la structure de la peau qui tend à se détériorer avec l'âge.

44 LE ROI MAGE DES HUILES ESSENTIELLES

Recherchez l'huile d'Olibanum dans vos produits biologiques pour la peau. C'est une huile essentielle douce et légère dont la célébrité immémoriale lui attribue des vertus purifiantes. En version crème, elle a des propriétés calmantes et raffermissantes; dans les produits anti-âge, elle contribue à réparer la peau.

45 VITAMINE MERVEILLE

Quand votre peau commence à avoir l'air terne et sans vie, la vitamine A peut vous donner un coup de main. Présente dans le rétinol, la trétinoïne, le tazarotène et le palmitate (de nouvelles formules sont en développement), elle augmente l'élasticité de la peau et l'épaississement du derme, et inverse les effets du photovieillissement.

46 MIRACLE EN PETIT POT

L'acide alpha-lipoïque est un antioxydant puissant qui peut aider à réparer la peau endommagée et prévenir les dommages futurs. Il est soluble à la fois dans l'huile et dans l'eau, ce qui lui permet de pénétrer dans toutes les parties des cellules, donnant ainsi à la peau un éclat radieux tout en réduisant l'apparence des petites ridules.

47 COMBATTRE L'ÂGE AVEC UN GRAND A

Les rétinoïdes sont une version synthétique de la vitamine A, dont la première génération de produits est mieux connue sous les noms Retin-A et Rétinol. Ces produits ont démontré des résultats fantastiques dans le traitement des rides et de la peau acnéique car ils stimulent la croissance des cellules et la régénération de la peau.

48 ESSAYEZ LE TAZAROTÈNE

Bien qu'ils ne soient présentement disponibles que sur prescription, le tazarotène et la trétinoïne (dont les ingrédients actifs sont proches de la vitamine A) peuvent, selon des chercheurs britanniques, réduire de façon efficace l'apparence des rides, particulièrement celles causées par le soleil.

49 VITAMINE E VERSUS RADICAUX LIBRES

La vitamine E est bien connue comme l'un des plus puissants antioxydants. Elle contribue à prévenir les dommages causés par les radicaux libres provenant de facteurs environnementaux comme le soleil. On la retrouve dans une grande variété de produits pour la peau, mais il vous est également possible d'en faire provision à travers votre alimentation par le biais de légumes verts feuillus et d'huile d'olive.

50 PEPTIDES CUIVRÉS

Ajoutés aux crèmes pour la peau, les peptides du cuivre se mélangent avec d'autres enzymes du corps et ont été associés à une meilleure production du collagène et de l'élastine. Ils peuvent renverser le processus du vieillissement en épaississant la peau et en réduisant l'apparence des ridules.

51 DES HUILES TOUT À FAIT ESSENTIELLES

La lavande est l'huile essentielle la plus polyvalente : elle aide à atténuer la fatigue et la tension et à apaiser les irritations cutanées. L'huile essentielle de neroli, distillée à partir des feuilles d'orange amère, peut aider à rééquilibrer à la fois la peau grasse et la peau sèche. Le bois de santal est également une huile essentielle équilibrante, qui apaise les irritations de la peau.

52 ARMEZ-VOUS DE MALACHITE

La malachite est un minéral de couleur verte absolument exquis auquel on attribue des vertus anti-âge puissantes. Elle augmente la rétention d'eau cellulaire, donnant au visage une apparence temporairement plus ferme et tonifiée.

53 SOINS KINÉTIQUES

Choisissez des produits renfermant de la kinétine, une hormone de croissance végétale (N6-furfuryladenine) qui a démontré des effets spectaculaires sur la peau vieillissante. Elle contribue à améliorer l'apparence des ridules et des rides, et à égaliser le teint.

54 UN ANTIDOTE NATUREL AU VIEILLISSEMENT

La production d'hormones décroît avec l'âge, entraînant une perte générale d'hydratation, particulièrement au niveau de la peau. Recherchez les crèmes anti-rides comportant des phytoestrogènes nommées isoflavones; celles-ci imitent les effets de l'estrogène, une hormone féminine qui contribue entre autres à garder la peau hydratée et tonifiée.

55 LES BONS POISSONS

Les produits pour la peau qui contiennent du DMAE (dimethylaminoethanol) ont montré de bons résultats dans le traitement des ridules et des rides. Augmentez votre consommation naturelle de DMAE en mangeant davantage de poissons comme les anchois et les sardines, qui en contiennent des concentrations élevées.

56 VIVIFIANTE PAPAYE

Recherchez des produits renfermant de l'enzyme de papaye. Grâce à la papaïne, une enzyme naturelle provenant du fruit de la papaye, ces produits donneront à votre peau la même sensation de fraîcheur qu'un traitement au AAH (acide alpha hydroxy), mais sans les composantes chimiques agressives.

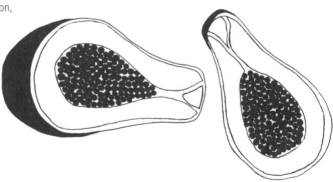

exfoliants et gommages polissants

57 EXFOLIER EN DOUCEUR

Une peau mature doit être manipulée avec délicatesse. Votre routine d'exfoliation doit se faire tout en douceur. Recherchez des produits exfoliants aux granules sphériques qui n'abîmeront pas votre peau. Un exfoliant doit toujours être appliqué sur une peau humide. Massez délicatement avec des mouvements circulaires pendant un maximum de deux minutes afin d'enlever les peaux mortes et de stimuler le développement de nouvelles cellules.

58 CELLULES NEUVES, PEAU NEUVE

La peau jeune se renouvelle tous les mois. En vieillissant, ce processus ralentit, mais une légère exfoliation permet de maintenir le cycle de renouvellement de la peau. L'exfoliation désincruste les cellules mortes, vous laissant avec une peau douce et lisse…mais attention! Ne dépassez pas un traitement par semaine.

59 RETEXTURISER SANS DÉCAPER

N'utilisez pas un exfoliant pour le corps sur la peau délicate de votre visage. Les exfoliants pour le visage de bonne qualité sont faits à partir de micro-cristaux calibrés en forme de losange qui désincrustent avec précision les cellules mortes de l'épiderme. Les exfoliants pour le corps contiennent des granules plus grosses et abrasives qui irriteraient la peau sensible du visage.

60 NATUREL OU SYNTHÉTIQUE?

Les exfoliants naturels plus abrasifs, comme la coque de noix broyée, conviennent davantage à des peaux plus jeunes. Optez pour des composantes synthétiques présentes dans les crèmes de microdermabrasion. Conçues pour les peaux plus matures, elles contiennent des particules lisses et sphériques qui exfolient sans abîmer la peau.

61 OPTEZ POUR LES AAHS

Traditionnellement basés sur des acides naturels dérivés de fruits et de plantes, les acides alpha-hydroxy (AAHs) sont maintenant manufacturés de façon synthétique. Ils agissent comme un exfoliant doux en dissolvant la « colle » qui lie les cellules de la peau, permettant ainsi aux vieilles cellules d'être remplacées par des nouvelles. Les AAHs ne sont pas abrasifs et sont disponibles sous forme de crèmes exfoliantes et de masques.

62 UN ACIDE EXFOLIANT

L'acide salicylique est le seul acide de betahydroxy qui agit comme un exfoliant pour améliorer la texture et la couleur de la peau. Soluble dans l'huile, il pénètre les pores qui contiennent du sébum et exfolie les cellules mortes qui s'y sont incrustées.

63 PAS DE SURDOSE!

Évitez de surutiliser les exfoliants. Les dermatologues ont constaté une augmentation importante du nombre de patients qui consultent à la suite de traitements trop agressifs. Après 35 ans, vous devez vous concentrer sur la protection et l'entretien de votre peau plutôt que sur la correction de ses défauts.

64 MINIMISER LES PORES

Il existe des nettoyants qui visent spécifiquement à réduire l'apparence des pores à l'aide d'un agent thermal qui ouvre celles-ci. Ce type de crème contient des nettoyants et des exfoliants qui nettoient les pores en profondeur, tout en raffermissant et en affinant le grain de la peau.

65 ALLEZ-Y DOUCEMENT

Soyez tendres envers votre peau. Plus vous vieillissez, plus elle s'amincit. Une action trop vigoureuse durant les traitements exfoliants ou de microdermabrasion augmenteront la sensibilité de votre peau et conduiront à une perte de pigmentation.

66 TRAITEMENT POLISSANT

Les traitements exfoliants ou de microdermabrasion enlèvent les couches de cellules mortes, vous laissant avec une peau fraîche et purifiée qui rayonne de vitalité. Un exfoliant doux aidera à effacer les ridules et les rides et stimulera la production d'huile et la circulation, encourageant la croissance de nouvelles cellules.

67 UN TEINT ÉTINCELANT

Les peelings disponibles en pharmacie peuvent avoir d'excellents résultats. Une trousse en deux étapes commence avec un nettoyant exfoliant antibactérien qui contient des particules minuscules de pierre ponce qui nettoient la peau en profondeur. On applique ensuite une solution avant de se coucher afin qu'elle agisse durant la nuit. Au réveil, on se rince abondamment le visage, et hop! Un teint éclatant de fraîcheur.

68 DES SOINS SCIENTIFIQUES

Plusieurs produits contiennent des acides alpha hydroxy, dérivés naturellement de sucres végétaux. Ils sont efficaces car leurs molécules sont assez petites pour pénétrer dans la couche superficielle de la peau jusqu'à la couche profonde. Ils peuvent également dissoudre le ciment qui scelle les cellules mortes, permettant ainsi le renouvellement des cellules et l'élimination de la peau rugueuse et terne qui languit en surface.

traitements pour le visage

69 PULVÉRISEZ LES RADICAUX LIBRES

Des études récentes ont démontré que les téléphones cellulaires et les ordinateurs émettent des ondes électromagnétiques qui pénètrent la peau du visage. Protégez votre peau avec Expertise 3P, un brumisateur fortifiant à base d'extraits végétaux qui aide à garder la paroi des cellules de la peau intacte.

70 CUILLÉRÉE DE FRAÎCHEUR

Pour un traitement éclair des yeux bouffis, utilisez deux cuillères de métal refroidies au réfrigérateur. Placez le métal sur la région boursouflée et pressez doucement pendant au mois 60 secondes : vous verrez des résultats immédiats!

71 LIFTING MAGNÉTIQUE

Promettant de lisser les rides et de redonner du tonus à une peau vieillissante, le masque magnétique consiste à placer 19 aimants de façon stratégique sur le visage. Pour voir des résultats, il faut les porter entre 30 et 60 minutes par jour pendant au moins quelques semaines.

72 STIMULER LA PRODUCTION DE COLLAGÈNE

On pense que l'acuponcture du visage rend la peau plus rayonnante et stimule les fibres de collagène, augmentant ainsi l'élasticité de la peau, tout en lissant les rides.

73 PRUDENCE AVANT LE JOUR J

Il ne faut jamais essayer pour la première fois un nouveau masque, un éclaircissant, des tampons apaisants pour les yeux ou tout autre traitement de beauté qui pourrait affecter l'apparence de votre peau, juste avant un grand événement. Même la peau « normale » risque de devenir rouge et irritée, alors faites vos expérimentations dans vos temps libres lorsque votre agenda est moins rempli.

74 UN LIFTING SANS EFFORTS

Entraînez vos muscles faciaux à reprendre leur position naturelle et au repos à l'aide des « Frownies ». Conçus pour être portés sur le front et entre les sourcils durant la nuit, ils entraînent les muscles faciaux sous-jacents à relaxer, réduisant ainsi les rides d'expression et donnant au visage une apparence plus jeune.

75 SE PRÉPARER AVEC PRÉCAUTION

Avant un événement important, choisissez un traitement « lifting » ou un drainage lymphatique, qui donneront du tonus à la peau tout en réduisant les boursouflures, plutôt qu'un traitement centré sur les extractions, qui amènera les impuretés à la surface et favorisera l'apparition de boutons.

76 REVIVIFIER LA PEAU EN 30 SECONDES

Trempez une débarbouillette propre dans de l'eau très chaude (mais pas bouillante) et couvrez votre visage pendant 30 secondes. Utilisez le tissu pour frotter doucement la « zone en T » de votre visage (menton, nez et front). Rincez ensuite avec une eau très froide afin de resserrer et ragaillardir vos pores.

77 DOUCEUR DE MIEL

Une fois par semaine, préparez un masque au miel et laissez-le agir sur votre visage pendant 30 minutes. Ce traitement est très nourrissant, et donne à la peau une texture douce et souple. Prélevez du miel directement du contenant et appliquez-le sur une peau légèrement humide. Rincez d'abord avec de l'eau tiède, puis avec de l'eau froide afin de fermer les pores.

78 MASQUE TROPICAL

La noix de coco a des propriétés fantastiques, dont les peaux plus matures peuvent bénéficier. Placez la chair fraîche de la noix de coco dans un mélangeur et faites broyer pendant 10 minutes; utiliser du tissu d'étamine pour étendre la mixture sur votre visage. La noix de coco aide à prévenir la formation de radicaux libres, et pénètre dans les tissus connecteurs afin de les rendre plus souples et fortifiés.

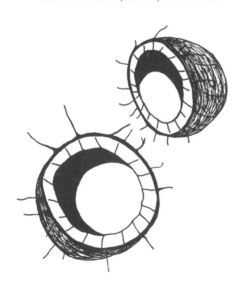

79 ACUPONCTURE FACIALE

Des aiguilles minuscules sont insérées dans toutes les parties du visage afin d'évacuer l'énergie bloquée et réduire le stress, qui favorisent la formation de rides. L'acuponcture faciale vise à débloquer l'énergie et à restaurer l'équilibre afin d'augmenter l'efficacité des fonctions vitales et de donner à la peau une apparence saine et radieuse.

80 SPA MAISON

La thérapie à la lumière pulsée stimule la production de collagène et d'élastine et aide à diminuer l'apparence des ridules. Cet appareil comporte deux panneaux dont les lumières rouges et infrarouges pulsées pénètrent la peau par l'entremise de particules d'énergie de lumière non-thermale, qui provoquent une réaction favorable de la peau. Ce traitement prend 10 minutes par jour.

81 CUISINEZ VOTRE ÉCLAIRCISSANT

Pour une peau fraîche et étincelante, mélangez des parts égales de jus de citron et de lait et appliquez en frottant doucement avec une petite brosse cosmétique sur un visage bien nettoyé. Laissez agir pendant 5 minutes avant de rincer.

82 UN FACIAL BRANCHÉ

Utilisez un appareil à micro-courants. Ce traitement facial masse doucement les muscles du visage avec des minuscules pulsions électriques, encourageant ainsi les muscles à faire des petits exercices dont le résultat est une peau plus ferme et tonifiée.

83 FRAÎCHE COMME UNE ROSE

Si votre peau est terne et tendue, vaporisez votre visage avec de l'eau de rose fraîche, dont l'effet revitalisant et rafraîchissant sera instantané. Massez ensuite votre visage doucement à l'aide d'une huile hydratante pour le visage à l'eau de rose, en faisant de petits mouvements circulaires afin de stimuler la circulation sanguine et de donner de l'éclat au teint.

84 BOUFFÉE D'AIR FRAIS

Un traitement pour le visage à l'oxygène améliore l'apparence de la peau en utilisant la biotechnologie de pointe. Une vapeur d'oxygène pure est dirigée sur la couche profonde de la peau afin de libérer les antioxydants, stimuler la circulation et raviver un teint fatigué et terne.

85 ADIEU PETITES VEINES ROUGES!

On croit que la crème à base d'extrait de marron d'Inde fortifie les minuscules veines rouges qui apparaissent sur les joues et le nez lorsque la peau devient plus mince et perd de son collagène. Ce produit est également disponible sous forme de comprimé afin de stimuler la circulation sanguine dans la peau.

86 ÉCLAIRCIR AVEC L'HYDROQUINONE

Mieux connues sous le nom « crèmes éclaircissantes », les produits à base d'hydroquinone sont utilisés pour traiter les taches de vieillesse et l'hyperpigmentation. L'hydroquinone fonctionne en bloquant la production de mélanine pigmentaire durant le processus naturel d'exfoliation de la peau. Ce produit est disponible sans prescription, mais une formule plus concentrée peut être obtenue avec une ordonnance de votre médecin ou de votre dermatologue.

87 UN TEINT PLUS UNI

Pour traiter les régions de votre visage laissant paraître une pigmentation inégale ou des taches de vieillesse, choisissez des produits contenant à la fois de l'aide d'acide kojique et de l'hydroquinone. Avant de vous coucher, faites pénétrer la crème en massant doucement sur la peau; agissant durant la nuit, elle réduit l'apparence des taches pigmentaires et unifie le teint.

88 RÉVEIL FRAÎCHEUR

Afin de raviver une peau fatiguée, rincez votre visage à l'eau froide chaque matin. Ce petit geste contracte les pores et laisse la peau rafraîchie tout en stimulant la circulation et en vous donnant une sensation énergisante.

89 LIFTING MINUTE

Ce masque tonifiant à la recette simple vous donnera un teint frais et rayonnant : mélangez un blanc d'œuf avec du jus de citron et appliquez sur un visage fraîchement nettoyé.

90 VOTRE PEAU A DROIT À UN BON AVOCAT

Prenez simplement un avocat bien mûr et placez directement des tranches sur votre peau, particulièrement sur les régions plus sèches. Les peaux plus matures ont tendance à être plus sèches et translucides; l'huile naturelle du fruit agira en activant la production d'huile dans votre peau, vous donnant une apparence plus jeune et détendue.

exercices et massages du visage

91 RAVIVER UN MENTON FATIGUÉ

Voici un tonifiant facial éclair qui peut être effectué 20 fois par jour peu importe où vous vous trouvez : pressez vos lèvres ensemble fermement et étirez les coins de votre bouche le plus possible vers l'extérieur. Conservez cette position pendant trois secondes et répétez. Cet exercice contracte les muscles du bas du visage et tonifie un menton relâché.

92 RENFORCER LES MUSCLES FACIAUX

Tout comme les muscles abdominaux, les muscles du visage doivent régulièrement faire de l'exercice afin de prévenir le relâchement. Adoptez une routine qui ne prendra que 10 minutes par jour, et qui peut être effectuée n'importe où – dans l'autobus, dans la voiture ou en regardant la télévision – afin de tonifier des muscles devenus paresseux.

93 EXERCICES TONIQUES

Essayer le « flex fitness », un appareil conçu spécifiquement pour les muscle du visage. Utilisée seulement deux minutes par jour, la petite bande de résistance améliorera la circulation et la fermeté de la peau, et contribuera à atténuer les doubles mentons et les mâchoires ridées.

94 FAITES TRAVAILLER VOS DOIGTS

Prenez l'habitude de masser doucement votre visage avec vos doigts pendant quelques minutes chaque jour : cela favorise la circulation, revitalise votre teint et réduit la rigidité des rides d'expression entre vos sourcils. Toutefois allez-y doucement : avec l'âge, vos tissus connecteurs ne sont plus aussi souples, alors évitez de masser trop vigoureusement. Essayez simplement de tapoter doucement avec deux doigts de chaque côté de la bouche en longeant la mâchoire, afin de stimuler la circulation et de donner de l'éclat à votre teint.

95 UNE PETITE PINCÉE

Un grand nombre de personnes contractent naturellement les muscles entre les sourcils et développent avec le temps deux petites rides verticales. Lorsque le stress se fait sentir ou que vous êtes dans un moment de concentration et que vous sentez vos sourcils se froncer, prenez un petit instant pour pincer le muscle à l'aide de votre pouce et de votre index replié, en travaillant à partir du centre vers l'extérieur le long des sourcils.

96 MASSAGE ENTRE AMIS

S'offrir régulièrement un traitement facial ne veut pas nécessairement dire des sessions dispendieuses chez l'esthéticienne. Effectué avec délicatesse, le massage est un geste simple et accessible à tous, qui relaxe les muscles du visage, stimule les vaisseaux sanguins sous la peau et contribue à prévenir la formation de ridules.

97 RÉVEILLE-MATIN

Le matin, il est normal que votre visage ait l'air pâle et bouffi en raison du ralentissement naturel du corps durant la nuit. Lorsque vous appliquez votre hydratant, saisissez l'occasion pour masser les muscles du visage afin de réveiller le système lymphatique et de stimuler la circulation.

soins des yeux

98 SOINS ESSENTIELS

La peau entourant les yeux a tendance à développer de fines ridules et des rides car il n'y a pas de glandes sébacées dans la peau directement au-dessus et sous les yeux. Vous devriez toujours utiliser une crème conçue spécifiquement pour cette région afin de la garder bien hydratée. Appliquez quatre gouttes de crème sous chaque œil, en commençant sous la pupille jusqu'au coin extérieur où logent les pattes d'oies, et tapotez doucement.

99 UNE PETITE MERVEILLE

Un nouveau gel innovateur nommé Laresse est maintenant disponible pour traiter les petits replis des sourcils et les pattes d'oie. Conçu en laboratoire plutôt que de source animale ou humaine, ce produit a été encensé pour ses résultats ultra lissants.

100 UNE INFUSION DE FRAÎCHEUR

Réduisez l'apparence des paupières enflées et bouffies avec des compresses de thé vert. Trempez de la ouate dans du thé vert, égouttez et appliquez doucement sur le contour des yeux. Ceci contribuera à tonifier la peau autour des yeux.

101 CONCOMBRE LISSANT

Après une nuit passée à faire la fête dans un environnement enfumé, vos yeux peuvent devenir rouges et fatigués. Un traitement apaisant est tout indiqué. Enroulez du concombre râpé dans un tissu d'étamine (comme dans une tortilla), et pressez doucement sur vos yeux. Les enzymes du concombre aideront à réduire les boursouflures et les ridules.

102 TOUT DOUX

La région entourant les yeux est très délicate. Avant de vous coucher, démaquillez cette région du visage à l'aide de tampons de ouate et de coton-tiges imbibés d'un produit doux à base d'huile. Nettoyez le contour des yeux jusqu'aux sourcils avec des gestes délicats, en évitant de frotter.

103 L'EAU EST LE MEILLEUR ANTIDOTE POUR LES YEUX CERNÉS

Prenez l'habitude de boire de l'eau toute la journée afin d'améliorer votre circulation sanguine et de garder votre hydratation : cela contribuera à réduire l'apparence des cernes sous les yeux. Il vaut mieux essayer de résoudre ce problème en adoptant des habitudes saines qui auront des répercussions positives à long terme, plutôt qu'en tentant de masquer le problème avec des produits cosmétiques dont l'effet est de très courte durée.

104 FORTIFIER LES CAPILLAIRES

Certaines crèmes pour le contour des yeux, comme l'Hylexin, contiennent des ingrédients qui ont été conçus pour aider à renforcer les capillaires dont les petites fuites de sang causent les cernes de teinte noire ou bleu foncé. Assurez-vous que ces crèmes contiennent également des ingrédients qui fortifient le collagène et l'élastine, afin d'aider la peau à se raffermir.

105 RÉVEIL TONIQUE

Gardez un démaquillant tonifiant pour les yeux dans votre réfrigérateur et utilisez-en pour nettoyer vos yeux en douceur le matin. Conservé au frais, ce produit nettoyant contribuera à apaiser des yeux boursouflés.

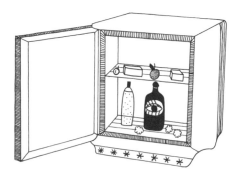

106 UNE DÉTENTE POUR LES YEUX

Il existe toute une panoplie de tampons de beauté pour le contour des yeux qui contiennent des extraits de plantes très puissants, tels que l'extrait de fève de soya. Conçus spécifiquement pour cette région délicate, ils aident à réduire temporairement les cernes et les paupières boursouflées, après une semaine d'utilisation. Vous devrez les porter au moins 30 minutes par jour pour voir des résultats.

107 MASSAGE APAISANT

De légers mouvements circulaires effectués avec les doigts contribuent à purifier le système de drainage lymphatique et à apaiser des yeux enflés et fatigués. À l'aide d'une huile de massage, massez toujours à partir du centre du visage en allant vers l'extérieur et de façon symétrique : du front vers les tempes, du nez vers les oreilles et du menton vers les mâchoires.

108 REPOS SUR L'OREILLER

Si vous en avez le temps, ajoutez un oreiller supplémentaire sous votre tête pendant 15 minutes avant de vous lever. Restez tranquille, sans bouger, et laissez les fluides s'écouler naturellement des poches sous vos yeux... une façon simple de commencer la journée avec un visage frais et dispos!

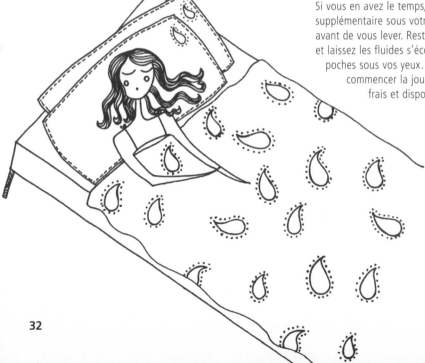

soins du cou et de la poitrine

108 DEVENEZ PRO DU LIFTING

Utilisez un produit au pro-collagène dont l'effet lifting aidera à prévenir le vieillissement prématuré de la peau du cou. Appliquez la crème avec des gestes vigoureux, en commençant juste au dessous de la clavicule vers le haut en alternant les mains. Vous verrez une amélioration du tonus de votre peau.

110 UN COURANT RAFFERMISSANT

La Ionithermie est un traitement raffermissant pour les seins qui utilise une combinaison de boue thermale et d'algues. Appliquée sur la poitrine, cette couche d'argile est ensuite réchauffée à l'aide de deux types de courant électrique qu'on utilise en alternance. Ce traitement contribue à rehausser les seins en tonifiant les muscles de la poitrine.

111 L'ACIDE FÉRULIQUE

La région du décolleté est très sensible au photovieillissement. Protégez-la à l'aide d'un sérum comportant de l'acide férulique (un antioxydant naturel qu'on trouve dans la plupart des plantes), dont les propriétés seront particulièrement bénéfiques pour les peaux souffrant de rougeurs (érythème), de dommages causés par le soleil ou de problèmes d'hyperpigmentation.

112 TRÉSORS CACHÉS

N'oubliez pas d'utiliser des sérums et des crèmes anti-âge derrière vos oreilles et votre cou; bien qu'elles soient cachées, ces régions doivent toujours demeurer bien hydratées afin de prévenir le relâchement de la peau.

113 ALLERGIQUE AU BISTOURI?

En-dehors d'une chirurgie, il y a peu de choses qu'on puisse faire pour rehausser une poitrine tombante. Il est cependant possible d'améliorer la texture et la tonicité de la peau à l'aide d'un sérum conçu spécifiquement pour cette région, qui aura un effet raffermissant temporaire. Votre peau aura une apparence plus ferme, moins relâchée, mais ces effets disparaîtront dès que vous cesserez d'utiliser le produit.

114 L'IDÉBÉNONE À VOTRE SECOURS

Choisissez des crèmes et des sérums raffermissants conçus spécifiquement pour la région du cou et du décolleté. Recherchez particulièrement des produits qui contiennent de l'idébénone, un antioxydant puissant auquel on attribue la capacité de modifier la réaction dommageable de la peau aux radicaux libres et de protéger les lipides cutanés. Ces crèmes sont conçues afin de ré-énergiser, raffermir, lisser et donner de l'éclat à la peau.

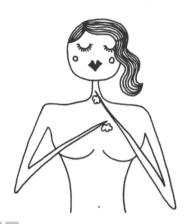

soin des lèvres

117 PEPTIDES PULPEUSES

Vous pouvez éviter les injections en utilisant des produits contenant des peptides; stimulant la production de collagène, les peptides pourraient s'avérer vos meilleures alliées pour obtenir des lèvres douces et pulpeuses.

118 ADIEU LÈVRES RUGUEUSES!

Peu invitantes, les lèvres rugueuses doivent être traitées. Utilisez un exfoliant naturel fait à partir de sucre brun très fin et d'huile de sésame. Appliquez délicatement ce mélange sur vos lèvres afin d'enlever les peaux mortes et squameuses. Terminez avec de la gelée de pétrole.

119 CONSOLEZ DES LÈVRES TRISTES

Des lèvres gercées, sèches et craquées sont non seulement douloureuses, mais deviendront un obstacle à plusieurs de vos activités quotidiennes comme manger… et embrasser! Afin de remédier au problème, utilisez régulièrement un baume à lèvres à base d'huile ou de cire d'abeille. Évitez les baumes aromatisés qui vous donneront l'envie de vous lécher les lèvres, aggravant ainsi le problème.

115 ATTENTION AU DÉCOLLETÉ

Lorsque vous appliquez votre crème de jour ou de nuit, n'oubliez jamais d'inclure votre décolleté. Cette région a besoin d'être bien hydratée, sans quoi elle deviendra très mince et ratatinée, et trahira votre âge.

116 PRENEZ SOIN DE VOTRE COU

Ne négligez pas de prendre soin de votre cou à l'aide d'une crème de nuit riche et nourrissante, à chaque soir avant de vous coucher. La région entre la clavicule et les mâchoires devient souvent prématurément ridée car la peau y est plus mince et vulnérable que celle du visage.

120 THÉRAPIE POUR LÈVRES SÈCHES

Afin de soigner des lèvres gercées et sèches, essayez un traitement spécial en deux étapes : un exfoliant pour les lèvres enlève délicatement les cellules mortes, suivi d'un baume intensif qui hydrate et nourrit les lèvres en profondeur.

121 ÉVITEZ DE VOUS LÉCHER LES LÈVRES

Constamment exposées aux éléments agressants de la nature, nos lèvres tendent à s'assécher; on se lèche alors les lèvres pour en réhydrater la surface. Ce réflexe les assèche davantage car la salive contient des enzymes qui en retirent l'humidité. Vous vous retrouverez avec des lèvres encore plus sèches et minces, ce qui vous donnera l'air âgé avant le temps. Conservez dans votre sac à main un petit contenant de beurre de karité et prenez l'habitude de vous en servir plusieurs fois par jour durant l'hiver.

soins des mains et des pieds

122 PROTÉGEZ VOS MAINS

Les mains ridées sont un des indices qui trahissent l'âge d'une personne. Constamment exposées aux éléments de la nature, nos mains sont vulnérables. Il importe de les protéger aussi souvent que possible. Utiliser des gants de caoutchouc pour laver la vaisselle et des gants de jardinage lorsque vous travaillez à l'extérieur.

35

123 LES MAINS N'AIMENT PAS L'EAU

La peau des mains étant mince et constamment ravagée par toutes sortes d'agents agressifs, il faut en prendre soin. Essuyez toujours vos mains adéquatement. Si vous les laissez sécher à l'air libre, la peau des mains deviendra rouge et asséchée. Utilisez une crème à base de lanoline.

124 RÉVEILLEZ-VOUS AVEC DES MAINS FABULEUSES

Une fois par mois, recouvrez vos mains d'une crème riche et nourrissante et enfilez de doux gants de coton avant de vous coucher. À votre réveil, la crème sera complètement absorbée et vous sentirez que vos mains sont plus douces et souples. Pensez aussi à garder de la crème pour les mains sur votre table de chevet afin de vous rappeler d'en utiliser avant de vous coucher.

125 BAS LES MAINS!

Inspirez-vous de ce traitement professionnel pour prendre soin de vos mains à la maison : utilisez d'abord un exfoliant autochauffant qui enlève la peau sèche et squameuse, puis une crème ultra-riche qui assouplit et redonne de la douceur à la peau.

126 PIEDS NUS, C'EST BIEN MIEUX

Afin d'améliorer la santé de vos pieds, essayer de réduire le temps où vous portez des chaussures. Que ce soit au travail ou à la maison, profitez de toute occasion pour enlever vos chaussures et marcher pieds nus. Cette démarche s'avère particulièrement importante si vous avez des oignons ou des callosités aux pieds.

127 DES PIEDS EN BONNE SANTÉ

Neuf femmes sur dix souffrent de cors, de callosités et d'oignons à un moment dans leur vie et neuf femmes sur dix portent des chaussures trop petites. Prévenez ces problèmes en vous assurant que vos chaussures sont de la bonne pointure; évitez aussi de porter les mêmes chaussures deux jours de suite. Des chaussures trop serrées peuvent éventuellement conduire à des conditions débilitantes comme les orteils en marteau et la métatarsalgie.

128 OPTEZ POUR UN SAVON DOUX

Si vous vous lavez les mains aussi souvent que vous le devriez dans une journée, utilisez un savon de bonne qualité qui contient des ingrédients naturels comme le citron ou l'avoine. Les savons bon marché assèchent les mains.

129 DES INGRÉDIENTS DOMMAGEABLES

Portez toujours des gants de caoutchouc lorsque vous lavez la vaisselle ou rincez des vêtements. Si vous négligez de protéger vos mains, les produits chimiques contenus dans la plupart des détergents les rendront sèches, rouges et déshydratées.

130 GÂTEZ VOS PETITS PIEDS!

Une pédicure professionnelle vous aidera à prendre soin de vos pieds dans le présent tout en prévenant les problèmes futurs. En plus de soigner et embellir vos ongles d'orteil, une pédicure comporte des traitements exfoliant et hydratant, de même qu'un massage revigorant qui apaisera la peau rugueuse et craquée des pieds.

131 MASSAGE DES PIEDS

Un massage des pieds hebdomadaire aidera non seulement à atténuer les douleurs dues à plusieurs années de stress accumulé, mais pourra également apaiser et hydrater une peau rugueuse tout en augmentant la circulation sanguine vers les extrémités.

132 ÉCLAIRCIR LES TACHES

Les produits éclaircissants vendus sans ordonnance fonctionnent en inhibant la production de pigmentation naturelle appelée mélanine à l'aide d'un ingrédient actif, l'hydroquinone. Les taches pigmentaires prennent un certain temps avant de s'estomper car les cellules de peau neuves et plus claires prennent plusieurs semaines avant de se rendre à la surface, mais ce produit fonctionne réellement.

soins du corps

133 ENROBEZ-VOUS DE MIEL

Afin de réhydrater une peau fatiguée, essayez ce luxueux traitement lors de votre prochaine visite à votre spa préféré: l'enveloppement thermal au lait et au miel. Le miel agit comme un hydratant naturel tandis que le traitement thermal apaisera des muscles fatigués et endoloris.

134 RÉHYDRATATION APRÈS LA DOUCHE

La routine quotidienne du bain ou de la douche déshydrate la peau, même si vous utilisez un nettoyant très doux. Après vous être lavée, utilisez toujours une huile pour le corps ou une lotion hydratante conçue spécifiquement pour le corps afin de remplacer l'humidité perdue et garder la peau hydratée.

135 VOIR PLUS CLAIR

Certaines régions du corps semblent plus foncées, par exemple les genoux et les coudes. Résultant d'une peau très sèche et de l'accumulation de cellules, elles bénéficieront d'un traitement exfoliant intensif suivi de l'application d'une crème hydratante ultra-riche. Pour éclaircir la peau des coudes, frottez-les à l'aide d'un citron coupé en deux.

136 CIRE À GENOUX

La peau des genoux et des coudes a tendance à être sèche et tombante car elle comporte peu de glandes sébacées. Un traitement à la paraffine pourrait être bénéfique. Remplie de nutriments, la paraffine est souvent utilisée en médecine pour traiter les jointures douloureuses. La préparation à la paraffine est réchauffée puis appliquée sur la région à traiter. On la laisse ensuite durcir, puis on la retire. Ce traitement améliore la circulation, adoucit la peau rugueuse, nettoie les pores et détend les jointures.

137 SPA MAISON

Gardez la santé et minimisez les risques de maladie en soignant votre corps à l'aide d'un traitement énergisant à l'hydrothérapie. Un bain chaud peut aider à apaiser les douleurs aux jointures et musculaires tandis qu'un bain froid éclaircit le sang, augmente le taux de glycémie et donne à votre peau une sensation renouvelée de fraîcheur.

138 UN TRAITEMENT VITAMINÉ

La mésothérapie est un traitement qui consiste à injecter des vitamines, des minéraux et des antioxydants dans la couche moyenne de la peau. Il en résulte une amélioration de la qualité et de la texture de la peau grâce au réapprovisionnement des vitamines essentielles qui se trouvent naturellement dans les cellules de la peau.

139 DES PLANTES POUR VAINCRE LA GRAISSE

Afin de stimuler la circulation lymphatique et disloquer les tissus adipeux, des extraits de plantes naturelles qui contiennent une combinaison d'enzymes et de nutriments peuvent être injectés dans la couche moyenne de la peau (le mésoderme) à l'aide de fines aiguilles. Il est recommandé de suivre un traitement à long terme.

140 RAFFERMIR DES BRAS FLASQUES

Reconnu pour ses résultats fantastiques dans la lutte contre la cellulite, le traitement Velasmooth fera des merveilles pour vos bras flasques. Ce traitement s'effectue en trois volets : des ondes infrarouges stimulent le métabolisme; des radiofréquences envoient de petites décharges qui resserrent et contractent la peau; une ventouse pétrit la peau et aspire les toxines. Plusieurs traitements pourraient être nécessaires pour des résultats durables.

141 LES MERVEILLES DE L'ENVELOPPEMENT

Emmitouflée de la poitrine jusqu'aux orteils dans une couverture chauffante saturée d'algues ou d'une boue riche en minéraux, vous apprécierez les vertus de l'enveloppement corporel : ce traitement revigore la peau fatiguée, améliore la circulation et aide à détoxifier le corps, vous laissant avec une peau revitalisée et éclatante de fraîcheur.

142 VOS BRAS ONT BESOIN D'UN COUP DE MAIN

La région située directement au-dessus du coude est une des premières à montrer des signes de vieillesse, mais elle est souvent négligée car on voit rarement cette partie de notre corps. De plus, ne bénéficiant pas d'un groupe de muscles important, elle résiste davantage aux exercices raffermissants. Essayez tout de même de donner un coup de pouce à cette région en la massant à l'aide d'une crème raffermissante pour le visage ou le corps.

vaincre la cellulite

143 PLAN DÉTOX

La cellulite affecte les femmes de tout âge, peu importe leur poids ou leur silhouette. L'élimination des toxines et de résidus indésirables aidera votre foie à métaboliser les gras de façon plus efficace et à réduire la cellulite. Essayez un plan de désintoxication en sept jours, de même qu'un massage et un brossage corporel, et vous devriez avoir des résultats visibles.

144 ÉVITEZ LA CAFÉINE

L'ingestion de caféine diminue la circulation sanguine et lymphatique. Remplacez toutes vos boissons contenant de la caféine avec du thé vert détoxifiant, de la tisane de pissenlit ou de l'eau chaude infusée de citron et de gingembre.

145 UNE NOUVELLE SILHOUETTE

La thérapie Hypoxi est un traitement amincissant qui élimine la graisse et la cellulite excessives sur les fesses et les cuisses. À l'aide d'exercices ciblés et d'un vélo ergomètre pratiqués sous basse pression atmosphérique, ce training par effet de vide augmente le débit et la circulation du sang et déloge les dépôts de gras.

146 DÉCOUVREZ L'ENDERMOLOGIE

Mise au point en France, l'endermologie vise à réduire l'apparence de la cellulite. En se concentrant sur les régions sujettes à la cellulite comme la culotte de cheval, les fesses et le ventre, ce traitement utilise la technique du palper-rouler à l'aide d'un appareil à succion qui lisse la surface de la peau et stimule la circulation tout en éliminant les toxines.

147 BROSSAGE QUOTIDIEN

Prenez l'habitude de faire un brossage corporel tous les jours afin d'enlever les cellules mortes, stimuler la circulation et encourager la régénération des cellules. Votre peau aura une apparence plus lisse car une meilleure circulation contribue à disperser les dépôts de gras.

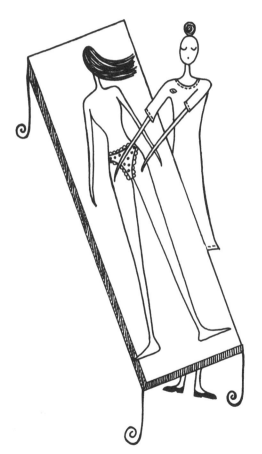

148 LES VERTUS DU MASSAGE

Un vigoureux massage stimule la circulation du système de drainage lymphatique et accélère l'élimination des toxines. Concentrez-vous sur des régions spécifiques et massez simplement en faisant de petits mouvements circulaires. Quelques minutes par jour suffiront pour aider à réduire la cellulite. Si vous le pouvez, offrez-vous un massage de drainage lymphatique professionnel.

149 MOUVEMENTS CIRCULAIRES

Brossez votre peau à l'aide d'une brosse corporelle faite de fibres naturelles en commençant par le bas du corps jusqu'à la poitrine. Tout en appliquant une légère pression, faites de petits mouvements circulaires qui vont du bas vers le haut. Le brossage stimule la circulation sanguine dans les minuscules capillaires situés près de la peau, tonifie et resserre la peau et réduit les dépôts de cellulite.

150 IMMERSION TOTALE

Un bain très chaud, dont la température oscille autour de 32°C, ouvrira les pores de la peau et encouragera le corps à transpirer, contribuant ainsi à libérer les toxines nocives.

151 L'HUILE DE BOULEAU

Combattez la cellulite disgracieuse à l'aide de massages réguliers. Les régimes amincissants et l'exercice sont certes efficaces pour réduire la « peau d'orange » qui apparaît sur le haut des cuisses et les fesses; mais un massage fait à l'aide d'une crème à base d'huile essentielle comme le bouleau peut également s'avérer utile en améliorant la circulation sanguine et lymphatique et en libérant des toxines bloquées.

152 MASSAGE ANTI-CELLULITE

Appliquez une crème hydratante sur la région visée en massant, et, à l'aide de votre pouce et de votre index, saisissez la peau et la couche de gras sous-jacente et pétrissez-la en faisant de petits mouvements circulaires. Laissez vos doigts glisser doucement sur la peau et évitez de frotter trop vigoureusement pour ne pas vous blesser.

153 DOUCHE FROIDE

Donnez une bouffée d'énergie à votre corps tous les matins en refroidissant graduellement la température de votre douche. Laissez l'eau froide couler sur votre corps et votre visage pendant une minute afin de stimuler le système lymphatique et resserrer la peau.

154 DÉTOX INTERNE

La constipation est l'une des principales causes de l'accumulation de toxines dans votre corps. Ces toxines restent ensuite bloquées dans les tissus connecteurs et entraînent la formation de cellulite. Le nettoyage du colon, souvent utilisé en combinaison avec la détoxification, nettoie en profondeur le gros intestin, éliminant les bactéries nocives et les parasites qui y vivent. Pratiquée par un thérapeute, cette procédure sans douleur aide également le colon à absorber des vitamines, des minéraux et des acides gras essentiels de façon plus efficace.

155 À PRENDRE AVEC UN GRAIN DE SEL

Pour un gommage corporel revigorant, mélangez des cristaux de sel de luxe, comme la « Fleur de Sel », avec une cuillérée à table d'huile d'amande douce de bonne qualité. Appliquez sur la peau rugueuse en massant doucement, avec une attention particulière aux genoux et aux coudes. Rincez avec une eau tiède.

156 BIEN AU CHAUD

Après un bain chaud et détoxifiant, emmitouflez-vous bien dans des vêtements chauds : votre corps continuera à transpirer et à libérer des toxines pendant les 30 minutes qui suivent.

157 RÉDUIRE LA RÉTENTION D'EAU

La rétention d'eau contribue à la formation de cellulite, mais n'utilisez pas de produits diurétiques commerciaux car ils dépouillent votre corps de potassium, contribuant ainsi à l'ostéoporose. Il existe des diurétiques naturels comme le pissenlit, l'ortie, l'astragale, le genévrier, le persil et la vitamine B6, mais la meilleure méthode est de réduire de façon radicale votre consommation de sel tout en buvant beaucoup plus d'eau.

158 VISEZ LE LONG TERME

Bien que les crèmes raffermissantes peuvent aider la « peau d'orange » à paraître plus ferme, elles ne pénètrent pas dans les couches profondes du derme et ne peuvent pas changer la structure de la peau. Pour de meilleurs résultats, adoptez une alimentation saine et faites de l'exercice.

159 EXIT LES TOXINES

Maximisez les bienfaits d'un bon bain en ajoutant 450 g de sels d'Epsom à l'eau tiède. Les sels d'Epsom sont faits à base de sulfate de magnésium, un minéral qui extrait les toxines du corps, calme le système nerveux et apaise les muscles fatigués.

160 TRAITEMENT TECHNO

Visant à réduire l'apparence de la cellulite, le traitement Tri-active offre une combinaison unique de laser et de massage qui améliore le drainage lymphatique. Des diodes chauffant à basse intensité stimulent la production de collagène et resserrent la peau, lui donnant une apparence visiblement plus lisse.

161 UN BAIN POLAIRE

Augmentez votre métabolisme en sautant de votre lit à un bain glacial dès votre réveil. En quelques minutes à peine, votre circulation sanguine et lymphatique augmentera, de même que la production de cellules blanches favorisant l'élimination des toxines qui circulent. Essayez ce traitement seulement si vous êtes en santé et en bonne forme physique.

162 ENVELOPPEMENT ANTI-CELLULITE

Les traitements professionnels d'enveloppement corporel sont basés sur le principe suivant : la transpiration favorise l'élimination des toxines et des fluides corporels excédents, qui aura un effet amincissant tout en améliorant l'apparence de la peau. Utilisé en conjonction avec des préparations ou des crèmes à base de plantes, l'enveloppement corporel donne des résultats immédiats mais temporaires.

163 LA SCIENCE-FICTION À VOTRE SERVICE

Un dermatologue réputé de Beverley Hills a connu de bons résultats contre la cellulite grâce à un appareil nommé « Galaxy », normalement utilisé pour le traitement des rides. Combinant l'utilisation de radiofréquences et de puissantes diodes laser, ce traitement délivre des énergies concentrées sous la surface de la peau, stimulant la production de nouveau collagène et resserrant la peau.

164 BROSSAGE EN TROIS MINUTES

Brossez à sec votre peau avec une éponge de louffa naturelle dès votre réveil. Vous en sentirez immédiatement les bienfaits alors que l'accélération du débit sanguin aura sur vous un effet vivifiant tout en laissant votre peau parcourue de chatouillements agréables.

165 RENONCEZ À LA MALBOUFFE

Les aliments industriels contiennent des substances artificielles difficiles à éliminer, contribuant ainsi à la formation de cellulite. Évitez les aliments à index de glycémie élevé, comme le pain blanc, le riz et les pommes de terre, qui augmentent le niveau d'insuline et favorisent le stockage de gras.

166 VAPEURS PURIFIANTES

Purifiez votre corps en passant 30 minutes dans un bain de vapeur. La chaleur augmente le métabolisme et la pulsion artérielle, et, tandis que les vaisseaux sanguins deviennent plus flexibles, le corps en entier profite d'une meilleure circulation. Vous en retirerez une sensation à la fois relaxante et énergisante, et tout cela sans bouger un seul muscle!

soins saisonniers

167 PROTÉGEZ VOTRE PEAU

Dans des conditions climatiques extrêmes, la régénération des cellules se fait plus lentement. Pour se protéger, la peau s'épaissit, perdant ainsi de son éclat. Afin d'éviter d'avoir le teint gris et terne, utilisez des sérums ultra-hydratants qui contiennent de l'acide hyaluronique afin de nourrir et réhydrater la peau.

168 DÉJOUEZ L'HIVER

Les hivers rigoureux sont difficiles pour la peau : le va-et-vient incessant entre le froid à l'extérieur et les environnements surchauffés à l'intérieur force les vaisseaux sanguins à constamment se comprimer et se dilater, ce qui conduit à des capillaires brisés. Afin de renforcer et de donner du support aux parois capillaires, augmentez votre consommation de vitamine C ou encore utilisez un sérum qui contient des doses élevées de vitamine C.

169 NE SOYEZ PAS DANS LE VENT

Les vents forts peuvent être dommageables pour la peau car ils favorisent l'évaporation de l'humidité, rendant la peau sèche, rouge et squameuse. Une crème qui contient du soya agira comme une barrière protectrice contre les éléments de la nature et fournira à la peau sèche une hydratation intense.

170 À L'ÉPREUVE DE L'EAU

Les peaux matures ont besoin d'une barrière protectrice qui les préserve du froid et de la perte d'humidité. Recherchez une crème humectante, riche en lipides et an acides gras qui favorisent la rétention d'humidité, et munie d'une protection contre l'environnement.

171 BAISSEZ LE CHAUFFAGE

En hiver, la peau souffre des périodes prolongées passées dans des environnements intérieurs surchauffés et secs. Une peau saine est constituée entre 10 % et 20 % d'eau, mais les systèmes de chauffage centraux tendent à aspirer toute l'humidité naturelle de la peau, la rendant sèche et terne. Pensez à baisser la température du chauffage et à augmenter votre consommation d'eau.

172 HYDRATATION NOCTURNE

Durant la nuit, la peau se repose et se répare après une dure journée exposée à toutes sortes de stress. Utilisez un humidificateur ou placez une serviette mouillée sur votre radiateur durant la nuit afin de remplacer l'humidité dans l'air et de garder votre peau hydratée. Vous contribuerez ainsi à humidifier l'air environnant et à prévenir la perte excessive d'eau par la peau.

173 OPÉRATION NEZ ROUGE

Le contraste entre les intérieurs surchauffés et les grands froids à l'extérieur peut causer d'intenses rougeurs au visage, alors que les vaisseaux sanguins essaient de s'adapter aux changements importants de température. Utilisez une crème qui contient des peptides afin de redonner un peu de rondeur à la peau, ce qui réduira l'apparence des capillaires brisés.

174 MASQUE D'HIVER

En hiver, la production de lipides (la mince couche sébacée qui permet de retenir l'humidité) tend à décroître. Essayez un masque revitalisant qui contient une quantité élevée de rétinol afin de stimuler la production d'élastine et de collagène, ce qui contribuera à estomper les ridules et à unifier le teint.

protection solaire

175 UNE MEILLEURE PROTECTION AVEC LES PLE

Si les effets néfastes du soleil sur la peau vous inquiètent, pensez à vous procurer un supplément oral offrant une photoprotection, tel que l'extrait de Polypodium Leucotomas. Des recherches cliniques récentes ont trouvé que cet extrait tiré d'une fougère sud-américaine comporte des propriétés antioxydantes et photoprotectrices puissantes.

176 VIEILLIR ET BRONZER?

Avec l'âge, la pigmentation cutanée devient moins active et votre peau bronzera moins facilement. Gardez toujours cette notion en tête afin d'éviter de vous exposer au soleil trop longtemps. Si vous aimez l'effet de la peau bronzée, fiez-vous aux produits autobronzants dont les capacités à produire des pigments sont plus efficaces que les vôtres.

177 MIEUX VAUT BRONZER SANS SOLEIL

Lorsque votre peau devient plus foncée, c'est parce qu'elle a été brûlée. Les cellules sont forcément affectées par cette transformation dommageable, dont les résidus restent imprimés dans l'ADN et courent le risque de devenir cancéreux. La seule façon de bronzer en sécurité, c'est d'utiliser un produit autobronzant, dont l'ingrédient actif, la DHA, réagit avec les protéines dans notre peau afin de la teinter et de la rendre plus foncée.

178 ÉVITEZ LE SOLEIL DU MIDI

Ne passez jamais plus de quatre heures par jour étendue au soleil, et mettez-vous à l'abri durant les heures les plus chaudes de la journée, c'est-à-dire entre midi et trois heures de l'après-midi. C'est la période de la journée durant laquelle les rayons du soleil sont à leur plus fort. Ainsi il faut éviter de s'exposer au soleil. Les cheveux et les yeux pourraient également être endommagés, alors portez un chapeau à larges rebords et des lunettes de soleil.

179 LE SOLEIL FAIT VIEILLIR

L'exposition au soleil mène au vieillissement prématuré de la peau et cumule les effets néfastes : rides, pigmentation inégale, rugosité. De plus, la peau endommagée par le soleil est moins élastique et se blesse plus facilement.

180 UTILISEZ UN FPS 30 TOUS LES JOURS

Afin de minimiser les dommages causés par le soleil, vous devez absolument limiter les périodes durant lesquelles vous exposez votre corps directement au soleil. Protégez toujours votre visage à l'aide d'une crème solaire dont le facteur de protection solaire (FPS) est au moins 30 et munie d'une protection cinq étoiles contre les UVA. Prenez l'habitude d'utiliser une crème solaire tous les jours.

181 GARDEZ VOS MAINS À L'ABRI

Les dommages causés par le soleil n'affectent pas seulement votre visage, mais votre corps en entier. N'oubliez jamais de protéger vos mains à l'aide d'une crème FPS 20 lorsque vous vous exposez au soleil, afin d'éviter la formation excessive de rides et de taches de vieillesse sur les mains, qui trahiront trop rapidement votre âge.

182 NE LÉSINEZ PAS SUR LA QUANTITÉ

La plupart des gens se couvrent de crème solaire en début de journée, puis n'y pensent plus. Pourtant, il faut continuer à appliquer de la crème solaire toute la journée. En guise d'exemple, durant un séjour typique de deux semaines à la plage où vous vous exposez au soleil tous les jours, attendez-vous à passer à travers deux bouteilles de 250 ml de crème solaire.

183 SALONS DE BRONZAGE INTERDITS

Bien que les lits de bronzage n'exposent pas la peau aux rayons UVB (ceux qui affectent les couches superficielles de la peau et sont les plus dommageables), ils peuvent quand même brûler la peau et conduire au vieillissement prématuré de la peau car l'intensité des rayons UVA est trop puissante.

184 NE SORTEZ PAS SANS LUNETTES ET CHAPEAU

Des rayons de soleil trop puissants peuvent endommager les yeux, particulièrement la peau fine qui les entourent. Afin de vous protéger à la fois les yeux et les cheveux, restez à l'abri toute la journée derrière de bonnes lunettes de soleil et sous un chapeau à large rebords.

185 SOLEIL D'HIVER

Bien qu'on se rappelle de se protéger du soleil durant l'été, on oublie souvent qu'il est tout aussi important de le faire tout au long de l'année. Sous le soleil d'hiver, utilisez toujours une crème hydratante munie d'un FPS et portez des lunettes de soleil.

186 PROTECTION SOUS LES NUAGES

Ne faites pas l'erreur de croire que votre peau est en sécurité lorsque le ciel est couvert. Jusqu'à 80 % des rayons UV passent à travers les nuages, alors vous avez besoin de protection même lors des jours gris ou à l'abri d'un parasol. Utilisez une crème hydratante munie d'un FPS même lorsque le ciel est nuageux.

187 CHANGEMENTS CLIMATIQUES

Si vous voulez éviter les taches de vieillesse et les dommages causés par le soleil, utilisez une crème hydratante qui contient une protection solaire à longueur d'année. Optez pour un produit à base d'oxyde de zinc et du dioxyde de titane qui peuvent bloquer les rayons du soleil.

188 LES JAMBES AU PEIGNE FIN

Les jambes demeurent la région du corps la plus souvent affectée par la formation de mélanomes. Examinez-les régulièrement afin de détecter si vos grains de beauté et petites taches ont changé de forme ou s'ils saignent. Ne cédez pas à la tentation de vous exposer au soleil sans protection solaire sur les jambes.

189 À L'AVANCE

N'attendez pas d'être au soleil avant d'appliquer une protection solaire sur votre peau. Une crème solaire a besoin de temps pour faire effet, alors appliquez-la environ 20 minutes avant de sortir dehors. Et ne lésinez pas sur la quantité…

190 DES BESOINS DIFFÉRENTS

Le visage et le corps nécessitent des produits différents pour se protéger du soleil. Utilisez toujours un FPS 30 pour votre visage, un FPS d'au moins 15 sur le reste de votre corps et assurez-vous que vos produits contiennent tous un bon filtre UVA.

191 LES PEAUX FONCÉES DOIVENT AUSSI SE PROTÉGER

Tous les types de peau doivent se protéger des rayons UVA et UVB. Bien que la peau plus pâle requiert un indice de FPS plus élevé, même les gens à la peau foncée ne devraient jamais utiliser une crème dont le FPS est moins de 15.

192 HYDRATER 365 JOURS PAR ANNÉE

Une bonne crème de jour a de nombreux avantages : en plus de favoriser un redémarrage de la circulation sanguine après le ralentissement qui a lieu durant la nuit, elle aide à combattre les effets dommageables du soleil, même durant l'hiver et par temps nuageux.

193 ANALYSE GÉNÉTIQUE

Un expert dans le domaine du cancer a développé un nouvel outil diagnostic pour la peau nommé le « Skinphysical ». Grâce à une analyse de votre ADN, cet outil permet de déterminer la quantité de dommages causés par le soleil dans le passé, de même que les moyens à prendre pour mieux vous protéger dans le futur. Pour plus d'informations, consultez www.skinphysical.co.uk.

194 PARFUMS ET SOLEIL

Évitez de porter un parfum à base d'alcool lorsque vous vous exposez au soleil. Ces parfums rendent la peau plus sensible au soleil et peuvent causer des brûlures, de la sécheresse et des changements dans la pigmentation. Optez pour une eau de toilette dans la gamme de votre parfum préféré, dont la teneur en alcool sera moins élevée.

autobronzants

195 CHOISISSEZ UN AUTOBRONZANT TEINTÉ

Les meilleurs autobronzants sont les produits teintés qui dorent instantanément la peau en déposant une couche de couleur non-permanente sur la peau. Du fait qu'ils colorent la peau, ils permettent une application plus uniforme.

196 NE PAS AVALER!

L'ingrédient chimique contenu dans les bronzages vaporisés, le DHA (dihydroxyacétone), est approuvé pour usage externe seulement. Protégez vos narines avec des ouates de coton et gardez votre bouche fermée lors de la vaporisation en cabine.

197 DE BELLES MAINS BRONZÉES

Les mains montrent rapidement les signes de l'âge. Un peu d'autobronzant fera des miracles pour améliorer leur apparence, mais c'est une région difficile à travailler. Avec vos doigts, appliquez en mouvements légers et faites bien pénétrer le produit. Essuyez ensuite les paumes de la main avec une lingette humide.

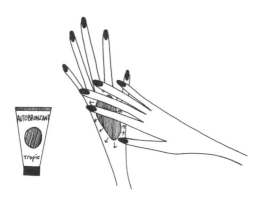

198 MAINTENIR VOTRE BRONZAGE

Après une séance d'autobronzage, appliquez un hydratant léger sur tout votre corps sans quoi votre peau risque de peler. Prenez des douches courtes avec le moins de savon possible (et non des bains moussants) et évitez les séances intenses d'exercice qui vous feront transpirer. La transpiration risque de dissoudre le produit dans certains endroits et vous laissera avec un bronzage inégal.

199 POUR UN BRONZAGE RÉUSSI

Un faux bronzage peut unifier le teint et masquer les cernes et les capillaires brisés, mais seulement s'il est appliqué correctement. Une bonne exfoliation est cruciale à la réussite d'un faux bronzage. Faite au préalable à la maison ou en salon, l'exfoliation doit être suivie de l'application généreuse d'un hydratant, qui assurera une couleur uniforme, sans stries disgracieuses.

200 BRONZAGE EN CANNETTE

Si vous n'avez ni le temps ni l'argent pour une séance de bronzage en institut, vous pouvez maintenant vous procurer un vaporisateur autobronzant pour le visage. En vaporisant des micro-particules sur le visage, ce produit permet d'obtenir des résultats d'apparence professionnelle, pour une fraction du prix.

soins et santé de vos cheveux

201 UNE FENÊTRE SUR VOTRE ÉTAT DE SANTÉ

Notre peau et nos cheveux reflètent notre état général de santé. Si vos cheveux vous semblent ternes et sans vie, vous devez revoir votre nutrition. Les acides gras essentiels sont effectivement essentiels pour une chevelure brillante et en santé, tandis que le zinc favorise la croissance des cheveux.

202 LE BON SHAMPOOING

Si vos cheveux paraissent ternes, vérifiez le pH de votre shampooing. Le cuir chevelu a un pH naturel qui se situe entre 4 et 6; un shampooing alcalin donnera aux cheveux une apparence terne et sans vie.

203 BRILLANCE EXTRÊME

Pour des cheveux ultra-brillants, finissez votre rinçage avec un jet d'eau la plus glaciale que vous puissiez endurer. L'eau froide ferme les cuticules des cheveux, leur permettant ainsi de mieux refléter la lumière.

204 PAUSE MASSAGE

Lorsque vous appliquez un revitalisant, prenez le temps de faire un massage relaxant du cuir chevelu. À l'aide de légers mouvements circulaires, exercez de petites pressions sur votre tête. Ce massage stimulera la circulation sanguine autour des follicules et favorisera la croissance des cheveux.

205 UN RENDEZ-VOUS IMPORTANT

Trouvez un salon de coiffure que vous aimez et où vous vous sentez à l'aise pour discuter de vos préférences et des possibilités qui s'offrent à vous selon le type et la texture de vos cheveux. Prenez rendez-vous toutes les 6 à 8 semaines afin de rafraîchir votre coupe, faire des retouches couleur et bénéficier d'un traitement revitalisant intense.

206 DES CHEVEUX SOIGNÉS

En vieillissant, il arrive fréquemment qu'on néglige notre apparence au profit de responsabilités et d'inquiétudes qui paraissent plus importantes. Mais des cheveux négligés feront paraître une personne beaucoup plus âgée, terne et démodée. Prenez soin de vos cheveux car ils ont besoin de vous plus que jamais.

207 MIEUX VAUT RINCER

Certains revitalisants sans rinçage ne sont pas appropriés aux cheveux fins. Ils protègent les cheveux, mais peuvent du même coup les alourdir considérablement et les rendre ternes, gras et difficiles à coiffer. Les revitalisants avec rinçage sont habituellement plus appropriés pour tous les types de cheveux.

208 UN BON INVESTISSEMENT

La plupart des coiffeurs vous diront qu'une belle chevelure ne vient pas en bouteille. Mais ils diront aussi que, bien qu'il soit possible d'économiser en achetant un shampooing bon marché, il vaut la peine d'investir dans un revitalisant de bonne qualité. C'est la crème hydratante de vos cheveux!

209 BONS PRODUITS, BEAUX CHEVEUX

Un grand nombre de shampoings et revitalisants bas de gamme contiennent des ingrédients chimiques bon marché, comme le sulfate d'ammonium lauryl, qui peuvent abîmer vos cheveux. Achetez des produits de bonne qualité, disponibles en salon, et vous verrez une différence immédiate dans la texture et l'éclat de vos cheveux.

210 BAROMÈTRE DE SANTÉ

L'analyse minérale capillaire peut révéler bien des choses : votre type métabolique, le niveau de toxines dans votre organisme, votre état général de santé et vos carences nutritionnelles. Une telle analyse biochimique s'avère utile car elle permet d'orienter la stratégie curative, dont les résultats se traduiront ultimement par une peau plus saine, une chevelure plus brillante, davantage d'énergie et même une perte de poids.

211 LA BELLE ET LA BÊTE

Le sperme de taureau est un traitement très en vogue pour les cheveux épais et secs. Ce traitement intense contient également un extrait végétal, la racine de katera, riche en protéines. Le produit est appliqué en massant bien le cuir chevelu. Avant de rincer, on le laisse agir sous un casque à vapeur afin qu'il pénètre bien le cheveu. Ce traitement vous donnera des cheveux souples et brillants.

212 TOLÉRANCE ZÉRO

Certains produits contiennent de l'alcool, un ingrédient très asséchant. L'alcool tend aussi à rendre les cheveux colorés ternes et sans vie. En vérifiant minutieusement la liste d'ingrédients de vos produits, vous pourrez éviter d'acheter des produits à base d'alcool.

213 LA CIGARETTE : ENNEMIE DES CHEVEUX

Le tabagisme est très dommageable pour les cheveux car il entraîne un déficit en vitamine C et comprime les vaisseaux sanguins, qui affectent l'apport en nutriments dont vos cheveux ont besoin pour croître sainement. Cessez de fumer et vous verrez des améliorations instantanées.

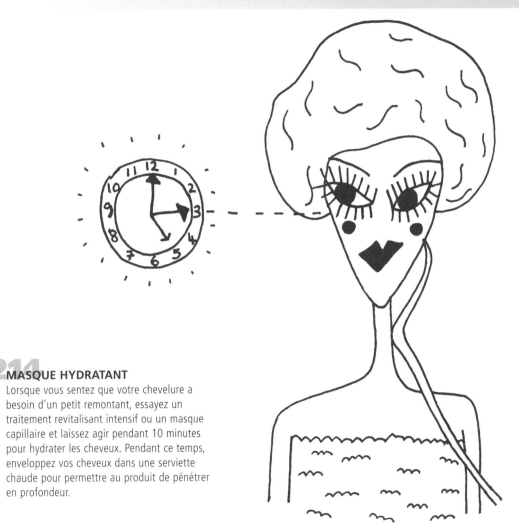

214 MASQUE HYDRATANT

Lorsque vous sentez que votre chevelure a besoin d'un petit remontant, essayez un traitement revitalisant intensif ou un masque capillaire et laissez agir pendant 10 minutes pour hydrater les cheveux. Pendant ce temps, enveloppez vos cheveux dans une serviette chaude pour permettre au produit de pénétrer en profondeur.

215 FORTIFIANT NATUREL

Si vos cheveux sont devenus plus fragiles et cassants, utilisez une infusion au romarin en guise d'eau de rinçage après le shampooing afin de les renforcer. Vous pouvez aussi essayer de masser votre cuir chevelu avec de l'huile essentielle de romarin (diluée dans une huile végétale) afin de favoriser la croissance.

216 TRAITEMENT AU MIEL

Gâtez vos cheveux et votre cuir chevelu avec un revitalisant à base de miel et d'huile d'olive biologiques. Préparez un mélange à parts égales de ces deux ingrédients, réchauffez ensuite au four à micro-ondes, puis appliquez sur des cheveux propres, séchés à la serviette. Laissez agir en enrobant vos cheveux d'une serviette chaude pendant 20 minutes. Ce traitement laissera vos cheveux ultra-doux et lustrés.

217 MANGEZ DES NOIX

Le calcium, le magnésium et le potassium sont tous essentiels à la croissance de cheveux forts et en santé. Mangez régulièrement des amandes, qui en contiennent beaucoup et s'avèrent plus riches en calcium que toute autre sorte de noix.

218 BRILLEZ AVEC DU SILICIUM

Des études ont montré que ce minéral vital peut stimuler la croissance de cheveux plus sains, tout en les rendant plus forts et plus brillants. Vous en trouverez dans certains aliments comme les poivrons rouges ou verts, ou sous forme de supplément naturel.

219 LIBRES AU LIT

N'allez jamais vous coucher avec les cheveux attachés. Vos mouvements au cours de la nuit risquent d'endommager et de casser vos cheveux.

220 LES 100 COUPS

N'utilisez jamais une brosse pour démêler des cheveux mouillés. Utilisez plutôt un peigne à larges dents, afin d'éviter de les endommager. Sur des cheveux secs cependant, les traditionnels 100 coups de brosse chaque soir sont toujours recommandés car ils stimulent la croissance et la production de sébum. Choisissez une brosse dont les crins sont faits de fibres naturelles, qui sont plus tendres envers les cheveux que les synthétiques.

221

UN MINÉRAL ESSENTIEL

Les produits qui contiennent des peptides de cuivre ont déjà montré une capacité remarquable à stimuler la croissance des cheveux. On attribue au cuivre la propriété de rendre les cheveux plus épais et moins cassants.

choisir la bonne coupe

222 UNE COUPE PROFESSIONNELLE

Une bonne coupe de cheveux rajeunit et améliore la confiance en soi. À tout âge, la coupe de cheveux se doit d'être flatteuse et conçue pour votre type de visage, mettant l'emphase sur vos atouts tout en minimisant vos défauts.

223 OPTIMISEZ VOTRE RENDEZ-VOUS

Prenez rendez-vous à un moment où l'achalandage est minimal, comme un mardi matin. Dans un environnement plus calme, votre coiffeur aura plus de temps pour se concentrer sur vous, et vous donner l'attention dont vous avez besoin pour discuter de vos préférences et obtenir de meilleurs résultats.

224 CONSULTEZ LES REVUES

Jetez un coup d'œil aux revues de coiffure afin de vous mettre au parfum des dernières tendances en matière de styles, de coupes et de couleurs. Même si certaines modes vous paraissent trop jeunes ou trop branchées, sachez qu'il y a souvent des façons astucieuses de les adapter afin de vous donner une coupe contemporaine tout en restant dans votre zone de confort.

225 FAITES APPEL À VOS AMIS

Demandez à une amie ou à un membre de votre famille de vous donner une opinion sincère à propos de votre coiffure. Mais préparez-vous! Il est possible qu'elle soit peu flatteuse... Néanmoins, un point de vue honnête livré par quelqu'un qui vous connaît bien vous permettra de faire un bilan réaliste de votre coiffure. Rappelez-vous que leur regard sur votre visage est sans doute plus objectif que le vôtre.

226 NE VOUS ENLISEZ PAS DANS UN STYLE

Il est important de faire régulièrement de petits changements à votre coiffure afin de ne pas vous emprisonner dans un style qui vous allait peut-être bien à l'adolescence, mais qui n'est plus approprié. Parfois, le meilleur moyen de changer votre style, c'est d'essayer un nouveau styliste ou un salon qui utilise une approche différente de votre salon habituel. Souvent, il suffit tout juste d'un regard nouveau sur votre coiffure.

227 PAS TROP COURTS

À moins que vous ayez un parfait visage de lutin, évitez les coupes très courtes qui vous donneront l'air sévère. Essayez plutôt une coupe au carré courte et flatteuse qui convient à plusieurs formes de visage et demeure élégante et sophistiquée.

228 UN PEU DE BAVARDAGE

Prenez toujours le temps de discuter avec votre styliste afin de bien expliquer ce que vous voulez. Ce moment lui permettra d'examiner la texture de vos cheveux et la forme de votre visage avant de commencer à travailler. Si vous connaissez déjà votre styliste depuis un certain temps, ce moment lui permettra d'observer des changements potentiels (comme des cheveux gris, la perte de cheveux, des cheveux en mauvaise santé ou des pointes fourchues) et de proposer des solutions.

229 PAS TROP LONGS

Des cheveux très longs, qui tombent dans le bas du dos, conviennent davantage à des adolescentes qu'à des femmes de plus de 35 ans, et vous feront paraître beaucoup plus âgées. Si vous adorez vos cheveux longs et n'êtes pas encore prête à y renoncer, essayez au moins d'en enlever 5 cm. Si vous aimez le résultat, continuez à en faire enlever un peu plus. Vous découvrirez que votre visage redeviendra le centre d'attention, avec une jolie coiffure en prime!

230 UNE COUPE FLATTEUSE

Choisissez une coupe flatteuse pour votre visage. Pour cacher des rides sur le front ou la peau relâchée du menton, optez pour une coupe arborant une frange sur le côté plutôt qu'une frange droite et dont la longueur frôle le dessous du menton.

231 LA LONGUEUR PARFAITE

Au-delà de 40 ans, optez pour une longueur reconnue comme la plus flatteuse et rajeunissante à cet âge : au-dessous du menton, couvrant discrètement la ligne de la mâchoire. Cette longueur convient à presque toutes les femmes et permet aux cheveux de se balancer coquettement au-dessus des épaules.

232 JEU D'OMBRE ET DE LUMIÈRE

Un rideau épais et lourd de cheveux très brillants peut faire de l'ombre au visage, qui aura l'air terne et fatigué. Optez pour un léger dégradé afin de créer du mouvement autour du visage et de laisser passer la lumière.

233 NON AUX COUPES MAISON

Prendre soin de votre apparence devient de plus en plus important à mesure que vous vieillissez. Investissez dans des visites régulières au salon de coiffure. Si vous vous coupiez les cheveux vous-même à vingt ans, n'y pensez plus maintenant. Et résistez tout autant à la tentation de vous couper la frange vous-même. La plupart des salons offrent ce service gratuitement ou à un coût minime entre deux rendez-vous, alors profitez-en.

234
LE CARRÉ PLUS LONG

Si vos cheveux sont en bonne santé et que l'utilisation régulière d'un séchoir à cheveux ne vous pose aucun inconvénient, une coupe au carré un peu plus longue est une bonne option. Cette coupe crée du mouvement autour du visage tout en couvrant une ligne de mâchoire devenue un peu moins ferme ou un cou fané.

235
UNE COUPE QUI NE PARDONNE PAS

Les cheveux taillés courts peuvent aller à merveille aux femmes plus âgées, mais évitez une coupe très courte si vous êtes de taille forte. Choisissez plutôt une coupe qui pourra mieux équilibrer votre silhouette.

236
JEU DE CACHE-CACHE

Si vous désirez masquer ou détourner l'attention de pattes d'oie, essayez une coupe effilée ou encore une coiffure qui permet aux cheveux de tomber naturellement sur les côtés du visage. Évitez d'étirer vos cheveux vers l'arrière.

237
FAITES PARTIE DE LA FRANGE

Un front très ridé peut aisément être masqué à l'aide d'une frange. Selon la forme de votre visage, la frange peut être droite et pleine ou de biais, légère et effilée. Peu importe son style, la frange est un moyen simple et efficace de cacher les rides sur le front et entre les sourcils.

238
PENSEZ DOUCEUR ET MOUVEMENT

Une coupe carrée aux lignes très géométriques et laquées vous donnera l'air dur et sévère et convient moins aux visages matures qui ont commencé à perdre la vitalité et la fraîcheur de la jeunesse. Les femmes plus âgées bénéficieront davantage d'une coupe aux formes douces et arrondies qui crée du mouvement autour du visage.

239
ADOUCIR EN EFFILANT

Évitez les coupes dégradées très courtes qui trahiront votre âge en révélant un cou dont la peau commence à se rider et à se relâcher. Si vos cheveux sont un peu plus longs, optez pour un style effilé sur la frange et les côtés pour adoucir votre coiffure.

240
VIVEZ DANS LE PRÉSENT

En vieillissant, votre chevelure deviendra plus clairsemée et rêche au toucher. Évitez les cheveux très longs, flottant au vent, qui ont fait la gloire de vos 18 ans… Vos cheveux ne possèdent plus du tout les mêmes caractéristiques qui ont garanti le succès de cette coiffure à l'époque.

cheveux clairsemés

241 EXTENSIONS MIRACLES

Le processus du vieillissement affecte le rythme de croissance des cheveux. Mais vous pouvez déjouer le temps à l'aide d'extensions de cheveux. C'est une procédure longue et laborieuse qui doit être faite par un professionnel, mais le résultat donne du volume et de la longueur à vos cheveux. Si vos cheveux sont très clairsemés, gardez-les à la hauteur des épaules.

242 FIN ≠ CLAIRSEMÉ

Les cheveux fins et les cheveux clairsemés sont tout à fait différents et doivent être traités de façon différente. Les cheveux clairsemés ou à « basse densité » comportent un nombre moins élevé de mèches par centimètre carré, de telle sorte qu'ils laissent parfois entrevoir le cuir chevelu. Les cheveux clairsemés peuvent affecter seulement certaines régions ou encore toute la tête. Le terme « fin » réfère seulement à l'épaisseur du cheveu, de telle sorte qu'il est possible d'avoir les cheveux à la fois fins et abondants. Ces deux types sont souvent confondus en raison du fait qu'ils donnent à la chevelure une apparence similaire : plate et près du crâne.

243 AUGMENTEZ LE VOLUME

Optez pour une coupe au-dessus des épaules et légèrement dégradée pour ajouter du volume. Utilisez toujours un shampoing volumiseur et des produits coiffants. Un peu de mousse donnera du volume à vos mèches dégradées, mais évitez de surcharger votre chevelure avec trop de produits.

244 VOLUMISEZ AVEC MODÉRATION

Évitez d'utiliser exclusivement des shampoings volumiseurs car ils comportent des protéines qui adhèrent aux cheveux et peuvent laisser des résidus dont l'accumulation rendront vos cheveux ternes et sans vie.

245 CURE AUX ALGUES MARINES

Pour améliorer l'épaisseur et la condition de vos cheveux, prenez quotidiennement un supplément de varech de mer. Il existe plusieurs variétés de cette algue marine, mais elles sont toutes riches en minéraux essentiels tels le potassium, le calcium, le magnésium et le fer.

246 DÉGRADÉ À LA RESCOUSSE

Si vous trouvez que vos cheveux ont moins de corps et de volume, choisissez une coiffure dégradée, peu importe la longueur de vos cheveux. Une coupe pleine longueur alourdit les cheveux et les fera paraître encore plus clairsemés.

247 SOMMET DÉGARNI

Le processus du vieillissement rend naturellement les cheveux plus clairsemés alors que le nombre de follicules aptes à faire pousser des cheveux décroît. Une raie très droite accentuera le problème, ainsi demandez à votre coiffeur de créer un style incorporant couleur et texture.

248 VOLUME POUR CHEVEUX FINS

Le dégradé classique ne convient pas toujours aux cheveux fins, à moins d'opter pour un dégradé en biseau. Essayez une permanente, qui épaissira le diamètre de votre cheveu. De nos jours, les permanentes sont faites à l'aide de gros rouleaux, et ne produisent pas les petits frisottis qui hantent vos souvenirs de jeunesse.

249 DÉGRADÉ DE COULEURS

Évitez de teinter vos cheveux d'une seule couleur. Essayez plutôt de mélanger plusieurs tons à l'aide de mèches plus pâles ou plus foncées. Ces variations de couleur ajouteront du corps et des effets de contraste aux cheveux, créant une illusion de profondeur.

250 UN JOLI DÉSORDRE

Sur des cheveux fraîchement lavés, vaporisez une lotion épaississante et, à l'aide d'un séchoir à cheveux, ébouriffez légèrement vos cheveux pour créer un *look* déstructuré et décontracté. Cette coiffure convient bien aux coupes dégradées mi-longues.

251 SURVEILLEZ VOTRE ALIMENTATION

Des cheveux clairsemés qui tombent en petites touffes peuvent s'avérer le résultat d'une déficience alimentaire. La perte de cheveux résultant d'une déficience en vitamines B, C et en fer peut être rectifiée par une alimentation riche en protéines et en légumes. Les graines de lin, riches en acides gras essentiels, peuvent rendre les cheveux plus épais et lustrés.

252 LA PRÉVENTION EST LE MEILLEUR REMÈDE

Des cheveux cassants et en mauvaise condition sont souvent responsables de la perte de cheveux. Faites de la prévention en limitant l'utilisation de séchoir à cheveux (la chaleur extrême endommage les protéines dans les cheveux), de fer plat et de traitements chimiques tels les permanentes, les défrisants et les teintures. Plus vous maltraitez votre chevelure, plus il y a risque de dommages à long terme.

253 DÉSERREZ VOTRE COIFFURE

Les queues de cheval serrées et les tresses plaquées peuvent créer une tension qui endommage les cheveux et risque de les rendre cassants et clairsemés. Il en va de même pour l'utilisation fréquente de bigoudis, particulièrement ceux qui ne sont pas faits de mousse, qui peut aggraver la perte de cheveux.

254 VOLUMISEZ AVEC MODÉRATION

Évitez d'utiliser exclusivement des shampoings volumiseurs car ils comportent des protéines qui adhèrent aux cheveux et peuvent laisser des résidus dont l'accumulation rendront vos cheveux ternes et sans vie.

255 N'AYEZ PAS PEUR DES PERRUQUES

Si le vieillissement a rendu vos cheveux si clairsemés que le fond de votre tête est très visible, une perruque de bonne qualité pourrait s'avérer une bonne option. Confiez votre perruque à un professionnel de la coiffure qui lui donnera une coupe stylisée et une épaisseur appropriée.

256 CAMOUFLAGE FUTÉ

Si vos cheveux sont particulièrement clairsemés autour de la raie, repliez une section de cheveux de l'avant de la tête vers le milieu et fixez-la avec une pince afin de couvrir la raie.

dangers climatiques

257 PROTECTION UV

Des vacances au soleil peuvent rendre les cheveux secs et fragiles car les rayons ultraviolets retirent l'humidité des cheveux. Pour protéger votre chevelure, utilisez un revitalisant sans rinçage muni d'une protection UV tous les deux jours.

258 CHEVEUX GRAS

Les journées chaudes et ensoleillées d'été peuvent augmenter la transpiration et rendre votre cuir chevelu plus gras. Pour contrer ce problème, essayez de laver vos cheveux plus souvent, mais avec une moindre quantité de shampoing, et utilisez un revitalisant beaucoup plus léger.

259 SOLUTION POLLUTION

Durant la saison estivale, les concentrations d'humidité et de pollution dans l'air sont beaucoup plus élevées. Les cheveux doivent être lavés et revitalisés plus fréquemment. Utilisez un shampoing détoxifiant doux qui saura bien nettoyer vos cheveux sans les dépouiller de leur sébum naturel.

260 PRODUITS À L'OMBRE

Gardez vos produits coiffants et revitalisants loin de la plage car ils ont besoin d'ombre et de fraîcheur pour se conserver. Une exposition prolongée au soleil détruira certains des ingrédients actifs qui sont essentiels à leur fonctionnement.

261 TRAITEMENT VACANCES

Une semaine de soleil, de sel marin et de chlore fera des ravages sur votre chevelure. Passez une journée avec les cheveux imbibés d'un traitement revitalisant intense, peignés vers l'arrière et recouverts d'un foulard mode de style Pucci ou Hermès. Ce traitement de huit heures restituera la santé à vos cheveux.

262 ALERTE VENT FORT

Durant l'été, la conjonction de vents forts et du sable peut faire autant de dommages que le soleil. Utilisez à l'occasion un bon revitalisant sans rinçage que vous laisserez agir toute la journée. Optez pour un produit qui contient de la vitamine B5, qui nourrit et protège les cheveux des dangers de la plage.

cheveux gris

263 DU GRIS AU JAUNE

Il arrive parfois que les cheveux gris prennent une teinte jaunâtre. Utilisez un shampoing et un revitalisant conçus spécifiquement pour les cheveux aux reflets gris.

264 UNE TRANSITION EN DOUCEUR

Lorsque notre corps arrête de produire la mélanine pigmentaire, le grisonnement des cheveux s'amorce. Ce processus prend un certain temps, alors faites faire quelques mèches qui rendront la transition vers une chevelure entièrement grise plus naturelle. Des mèches donneront également de la profondeur et de la chaleur à votre couleur poivre et sel, peu importe le style de votre coiffure.

265 BEAUTÉS GRISES

À 50 ans, 50 % des femmes auront des cheveux à 50 % gris. Rappelez-vous que des cheveux gris ne sont pas nécessairement des cheveux de « vieille ». Votre chevelure est une extension de votre personnalité : si elle est lustrée et bien entretenue, vous serez toujours ravissante, peu importe la couleur.

266 UN TON PLUS PÂLE

Si vos cheveux sont devenus trop gris à votre goût et que vous aimeriez retrouver votre couleur originale, évitez de choisir exactement la même couleur qu'auparavant. Optez plutôt pour un ton plus pâle, qui conviendra davantage à votre teint.

267 POIVRE ET SEL

Lorsque le gris commence à être prédominant dans votre chevelure, évitez les mèches beaucoup plus pâles qui conviennent moins bien. Essayez de combiner des mèches pâles et d'autres plus foncées pour mettre en valeur votre nouvelle chevelure poivre et sel.

268 PREMIERS CHEVEUX GRIS

Lorsque les cheveux commencent à grisonner, habituellement vers la fin de la trentaine, les follicules produisent des mèches incolores de façon aléatoire, le plus souvent près des tempes et sur le dessus de la tête. Les cheveux foncés réussissent habituellement à bien masquer les quelques cheveux gris. À ce stade du processus, il est peu probable que quiconque sauf vous-même ne se rende compte d'un changement. Mais si ça vous inquiète, modifiez légèrement la séparation de vos cheveux afin de rendre les cheveux gris moins visibles.

268 LA GRISAILLE DU TABAGISME

L'âge auquel vos cheveux commenceront à grisonner dépend d'abord et avant tout de facteurs génétiques, mais il peut y avoir d'autres éléments influents. Une étude publiée en 1996 dans le *British Medical Journal* rapporte que les fumeurs ont quatre fois plus de chances de grisonner à un jeune âge.

270 PLUS BLANC QUE NEIGE

Techniquement, le cheveu gris n'existe pas. Le cheveu est soit pigmenté, soit blanc. Le gris résulte simplement du mélange entre les deux. Si vos cheveux ont l'air terne, pensez à utiliser un shampoing argenté qui donnera de l'éclat et du lustre à la fois aux cheveux blancs et aux cheveux pigmentés.

271 MOINS DE CHEVEUX, PLUS DE GRIS

Les médicaments qui traitent les maladies, même ceux issus de la médecine alternative, peuvent affecter le cycle de croissance des cheveux et causer la perte de cheveux, tout comme l'alopécie, une condition qui entraîne la chute de cheveux. Une chevelure plus clairsemée peut mettre en évidence les cheveux gris.

272 NOURRIR LES PIGMENTS

La mélanine pigmentaire étant une composante interne du cheveu, elle ne sera pas affectée par des éléments extérieurs. Maintenez cependant la production de mélanine à un niveau élevé en consommant des quantités suffisantes du minéral de cuivre. Les aliments riches en cuivre incluent le crabe, les moules, les graines de tournesol et les noix.

273 CHEVEUX GRIS: FAUT-IL LES COLORER?

Si vos cheveux commencent à peine à changer de couleur, et que le gris ne représente pas plus de 20 % de vos cheveux, utilisez une couleur semi-permanente qui s'estompe après 6 à 12 lavages. Jusqu'à 50 % de cheveux gris, optez pour une couleur semi-permanente qui durera le temps de 24 lavages. Choisissez seulement une couleur permanente si la majorité de vos cheveux sont gris. Dans ce cas, allez-y pour un ton légèrement plus foncé que votre couleur normale au cas où la couleur s'estomperait au lavage ou sous le soleil.

274 SURVEILLEZ VOTRE ALIMENTATION

Afin de prévenir le grisonnement prématuré des cheveux, certains nutritionnistes recommandent de limiter la consommation de caféine, d'alcool, de viande et d'aliments frits, gras, épicés, sûrs ou acides. Ces aliments empêchent l'humidité et les nutriments de se rendre aux follicules des cheveux.

teintures et mèches

275 ÉLOGE DE LA LENTEUR

Si vous désirez changer la couleur de vos cheveux, allez-y de façon graduelle, le plus naturellement possible. Commencez avec des mèches, plutôt qu'un changement drastique de couleur. La couleur de vos cheveux doit s'accorder harmonieusement avec votre âge: des cheveux très noirs ou blond platine paraîtront immédiatement artificiels sur une femme de plus de 30 ans. Pour avoir l'air naturel, votre couleur doit s'adapter aux changements dans la condition et le teint de votre peau.

276 DÉGÂTS MAISON

Avoir recours aux produits colorants vendus en pharmacie peut mener à un désastre. Ultimement, vous devrez quand même vous rendre au salon de coiffure pour réparer les dégâts et vous devrez débourser davantage. N'essayez jamais de corriger la couleur de vos cheveux vous-même, ce qui ne fera qu'aggraver le problème. Ayez recours en tout temps aux services et conseils de professionnels.

277 JEU DE LUMIÈRES

En vieillissant, la peau perd de sa mélanine et devient plus pâle. Pensez à modifier la couleur de vos cheveux en conséquence. Les colorations plus foncées ont un effet ternissant sur le visage, tandis qu'un savant mélange de mèches pâles sur un fond plus foncé crée du mouvement et de la texture.

278 NE NÉGLIGEZ PAS VOTRE FRANGE

Tous les types de frange peuvent convenir aux visages plus matures, à condition de l'entretenir et d'éviter à tout prix les repousses disgracieuses. La plupart des salons offrent un service de coloration pour les franges, alors profitez-en : une frange agrémentée de reflets lumineux donnera de l'éclat à la fois à votre visage et à votre chevelure.

279 NE SOYEZ PAS EXTRÉMISTE

À un certain âge, le blond platine au peroxyde et le noir de jais à la Cruella de Vil deviennent des couleurs très difficiles à porter avec succès. Ces tons extrêmes attirent l'attention sur le visage, de telle sorte qu'il faut avoir un maquillage exceptionnel pour équilibrer l'effet dramatique des cheveux.

280 DES VACANCES POUR VOTRE COLORATION

Les cheveux décolorés sont particulièrement vulnérables aux effets néfastes du soleil, de la mer et du chlore. Pour minimiser les dommages, faites colorer uniquement la repousse. En plus d'être moins dispendieux, vous éviterez une surcharge de produits chimiques.

281 ÊTRE BLONDE AVEC INTELLIGENCE

Pour donner de la luminosité à une chevelure blonde, choisissez des tons naturels de blond plus pâle et plus foncé. Évitez le blond peroxyde très clair et uni qui vieillit beaucoup. Apprenez à reconnaître le ton de blond approprié à votre teint. Si votre peau est de teinte plus « froide », choisissez des blonds cendré et platine plutôt que des blonds dorés ou cuivrés, qui conviennent davantage aux peaux de teinte « chaude ».

282 GARDEZ VOTRE COULEUR À L'ABRI

Maintenez votre coloration en protégeant vos cheveux du soleil et du chlore. Portez un bonnet de bain lorsque vous nagez et un chapeau sous le soleil. Utilisez un shampoing de bonne qualité, spécifiquement conçu pour le maintien des cheveux colorés.

283 LES SOURCILS EN HARMONIE

Il arrive souvent que la couleur des sourcils s'estompe avec l'âge. Vous devrez les prendre en considération lors de la coloration des cheveux, à défaut de quoi vous courez le risque d'avoir une belle chevelure éclipsée par des sourcils pâles et grisonnants. Assurez-vous d'obtenir l'opinion objective d'un professionnel avant de prendre une décision.

284 COULEUR NATURELLE

Une coloration peut faire des miracles pour rajeunir un châtain fade ou quelques intrus grisonnants. Pour un *look* naturel, ne vous aventurez pas au-delà de deux ou trois tons plus pâles ou plus foncés que votre couleur naturelle. Prenez également en considération votre teint de peau.

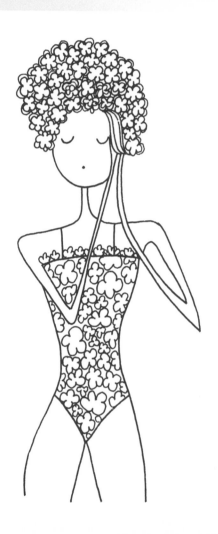

285 ATTENTION AUX ÉCLAIRCISSANTS SOLEIL

N'utilisez jamais des produits éclaircissants tels le jus de citron ou les vaporisateurs en vente libre qui éclaircissent les cheveux au soleil. Ils abîment considérablement les cheveux, et vous vous retrouverez peut-être sans autre issue pour réparer les dégâts qu'une coupe très courte.

286 BLANC + HENNÉ = ORANGE

Si votre couleur naturelle comporte plus de 50 % de cheveux blancs, évitez les traitements au henné, qui leur donneront une apparence orangée.

287 CHÂTAIN ENSOLEILLÉ

En vieillissant, la peau devient plus pâle et terne. Pour réchauffer votre teint et ajouter de la lumière à des cheveux fades, optez pour des mèches aux tons dorés. Des mèches trop foncées risquent de rendre votre visage encore plus terne.

288 MÈCHES TERNES

Entre deux rendez-vous au salon de coiffure, redonnez vie à vos mèches en utilisant un traitement qui en rehaussera la couleur. Vous pouvez également ajouter des capsules d'huile de vitamine E à votre masque capillaire hebdomadaire afin de rendre votre chevelure plus brillante et lustrée.

289 SORTEZ VOTRE CHAPEAU!

Protégez vos cheveux colorés sous un foulard ou un chapeau à large rebords lorsque vous vous exposez au soleil, sans quoi les rayons UVA dépouilleront vos cheveux de leur couleur, vous obligeant à fréquenter le salon de coiffure plus souvent.

290 ON AIME LE ROUGE

Une alternative intéressante aux mèches naturelles s'avère une teinture dans les tons de rouge ou de cuivre cendré, qui sont toutes deux des couleurs seyantes pour la peau mature.

291 LE BON PRODUIT

Il existe une variété énorme de produits différents pour tous les types de cheveux. Assurez-vous de trouver le produit qui convienne à vos besoins. Les shampoings spécifiquement conçus pour les cheveux colorés sont essentiels car ils nettoient en douceur tout en maintenant la couleur.

292 RETOUCHES RÉGULIÈRES

Une repousse grise sous des cheveux colorés vous vieillira instantanément. Pour éviter cette situation inélégante, vous devez prendre rendez-vous avec votre coloriste au minimum toutes les six semaines.

293 UN À LA FOIS

Les professionnels de la coiffure suggèrent de vous limiter à un seul traitement chimique à la fois afin de garder vos cheveux en santé. Par exemple, des cheveux qui subiraient simultanément une coloration et une permanente pourraient devenir cassants et endommagés.

294 SOINS VACANCES

Essayez de vous laver les cheveux le plus rapidement possible après avoir nagé dans la mer ou dans une piscine traitée au chlore. Les cheveux colorés risquent de pâlir ou d'être endommagés s'ils restent imbibés d'eau salée ou de produits chimiques, surtout si vous vous exposez ensuite au soleil.

se coiffer comme une pro

295 CHOISIR UN PRODUIT ADAPTÉ

Choisissez des produits adaptés à votre type de cheveu. Rappelez-vous que celui-ci changera au cours de votre vie, en fonction de certains facteurs comme l'environnement, le stress et des changements dans l'alimentation. Si vous avez des racines plutôt grasses et des pointes sèches, procurez-vous un shampoing pour cheveux gras et concentrez-vous sur vos racines : le reste de votre chevelure sera également nettoyée dans le processus.

296 COMMENT PRENDRE UNE BROSSE

Utilisez une brosse de bonne qualité pour vous coiffer, mais évitez de vous brosser les cheveux trop souvent. Chaque coup de brosse peut endommager vos cheveux et aggraver les pointes fourchues.

297 LISSER SANS RISQUE

Si vous vous lissez les cheveux tous les jours, utilisez en alternance le fer plat et le séchoir à cheveux. En exposant vos cheveux à une seule source de chaleur, vous réduisez les risques de dommages et aurez au bout du compte des cheveux moins secs et en meilleure santé.

298 OUI AU PEIGNE, NON À LA BROSSE

Les cheveux mouillés ou humides sont beaucoup plus fragiles et se cassent plus facilement. Prenez grand soin de vos cheveux lorsqu'ils sont mouillés. Utilisez toujours un peigne à larges dents pour les démêler, et non une brosse, qui vous donnera des pointes fourchues.

299 VOLUME MINUTE

Pour du volume instantané, vaporisez un peu de lotion épaississante ou du volumiseur sur quelques mèches de cheveux à l'avant de votre tête. Enroulez ensuite sur de gros bigoudis en velcro et terminez avec un jet d'air chaud venant du séchoir. Déroulez délicatement les mèches, et voilà! Un *lifting* pour cheveux en quelques minutes.

300 DOMMAGES À LONG TERME

À long terme, l'utilisation quotidienne d'appareils chauffants finira par causer des dommages en asséchant la tige du cheveu. Essayez de réduire l'utilisation de ces appareils en les gardant pour des occasions spéciales et, en quelques semaines, vous constaterez une amélioration visible de la texture de vos cheveux.

301 TOUTE À L'ENVERS

Pour donner du volume à votre chevelure sans passer par un salon de coiffure, tournez votre tête à l'envers et, à l'aide d'un séchoir de calibre professionnel, faites gonfler vos racines pendant une dizaine de minutes. Nul besoin de se laver les cheveux auparavant, car cette technique fonctionne mieux sur des cheveux qui ne sont pas fraîchement lavés.

302 OPÉRATION LISSAGE

Pour un lissage digne d'un salon de coiffure, commencez par séparer vos cheveux en plusieurs sections. Plus les sections sont nombreuses, plus le brushing sera réussi. Dirigez le jet d'air près de la tige pour un résultat ultra-lisse.

303 PAS D'ACCESSOIRES BONBON

Laissez les coiffures enfantines et les accessoires juvéniles arborant fleurs de plastique et paillettes scintillantes aux fillettes de 10 ans. Ce genre d'accessoire ne fera qu'attirer l'attention sur le fait que vous n'êtes plus jeune.

304 DIFFUSION EN DIRECT

Pour un brushing réussi, ajoutez un diffuseur à votre séchoir à cheveux. Lors du séchage, tenez l'appareil le plus loin possible de vos cheveux et gardez-le constamment en mouvement : ceci minimisera les dommages causés par la chaleur.

305 EN ARRIÈRE-PLAN

Si vos cheveux n'ont plus autant de corps qu'auparavant, essayez ce petit truc qui donnera du volume à votre chevelure sans le passage obligé par le séchoir à cheveux. Peignez délicatement vos cheveux vers l'arrière à l'aide d'un peigne à larges dents, puis vaporisez une lotion fixante ultra-légère.

307 SIMPLE ET ÉLÉGANTE

Une coiffure munie de multiples petites barrettes et décorations conviennent davantage aux moins de 30 ans. Bizarre, extravagante ou mignonne ne sont pas les qualificatifs à privilégier; pensez plutôt sexy, élégante, chic. La simplicité même, avec une coupe et une couleur qui vous vont à ravir, fera tourner des têtes pour toutes les bonnes raisons.

308 CHEVEUX EN BATAILLE

Nous avons tous connu ces journées qui partent du mauvais pied car nos cheveux refusent de coopérer... Des études menées à l'université Yale ont montré que le phénomène des « bad hair days » peut vraiment affecter l'estime de soi et l'assurance. Les femmes tendent à sous-estimer leurs capacités lorsque leurs cheveux ne sont pas à leur goût, alors prenez le temps qu'il faut pour vous coiffer tous les matins.

306 NOUVELLE GAMME DE PRODUITS

Vos cheveux changeront en vieillissant, et il est possible que vous ayez besoin d'avoir recours à des produits différents, que vous n'avez jamais utilisés auparavant. Ces produits pourraient, par exemple, donner du volume, gonfler les racines, aider à contrôler la statique ou protéger la tige des cheveux. Donnez-leur une chance!

309 ÉPONGEZ L'EXCÈS D'HUMIDITÉ

Entre le lavage et le séchage, essuyez délicatement vos cheveux à l'aide d'une serviette propre afin d'absorber l'humidité excessive. Appliquez ensuite une lotion thermique qui enrobera et protégera la tige du cheveu lors du séchage. Vous minimiserez ainsi les dommages causés par la chaleur et garderez vos cheveux en bonne santé.

310 L'HUMIDITÉ FAIT DES MERVEILLES

Après la douche, enrobez délicatement vos cheveux dans une serviette, appliquez vos produits coiffants et procédez au séchage. Des cheveux humides aident les produits à mieux fonctionner, pour de meilleurs résultats.

311 MAXI LUSTRE

Pour donner encore plus de lustre à des cheveux raides, séchez vos cheveux comme d'habitude puis brossez pendant cinq minutes de la racine aux pointes à l'aide d'une brosse à cheveux plate munie de fibres de qualité.

312 VUE D'ENSEMBLE

Certaines femmes aiment les coiffures très tendance, originales ou courtes et les portent avec aplomb jusqu'à un âge très avancé, alors que d'autres auraient beaucoup moins de succès avec un style similaire, même à 20 ans. Dans le choix d'un style de coiffure, il est important de considérer non seulement la texture et la qualité des cheveux, mais aussi des facteurs comme l'ossature du visage, la silhouette, la personnalité et les préférences vestimentaires.

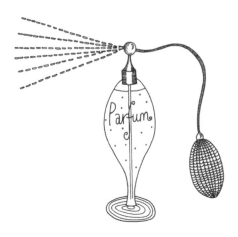

313 CHEVELURE PARFUMÉE

Avant de sortir, vaporisez un peu de parfum sur votre chevelure. Les cheveux étant plus poreux que la peau, ils retiendront les arômes agréables plus longtemps.

314 PUISSANCE MAXIMALE

Pour un brushing maison aux allures de salon, utilisez un séchoir à cheveux de bonne qualité, muni d'une puissance entre 1200 et 2000 watts. Lorsque vous l'utilisez, gardez la chaleur à basse température et faites-le bouger constamment afin de minimiser les dommages causés par la chaleur.

315 COUVRE-CHEF

Si votre repousse est un peu trop apparente, vos cheveux ont l'air terne et sans vie, ou encore vous n'avez simplement pas eu le temps de vous coiffer adéquatement, optez pour une solution simple et élégante : portez un chapeau! Si vous n'aimez pas les chapeaux, essayez un foulard chic ou un bandeau classique qui gardera vos cheveux en place.

316 UN NUAGE DE MOUSSE

Évitez d'utiliser des quantités trop abondantes de produits coiffants. Vous n'obtiendrez pas de meilleurs résultats en déversant un camion de mousse dans vos cheveux. La plupart des professionnels recommandent d'utiliser une quantité de mousse équivalant à la grosseur d'une balle de golf. Autrement vos cheveux risquent de paraître plats et collants.

317 L'ÂGE DES EXPÉRIENCES

De simples petits changements à votre coiffure (comme une modification de la raie) peuvent avoir un effet très rajeunissant. Prenez une pile de magazines, un peigne et quelques épingles et faites des expériences devant le miroir afin d'essayer toutes sortes de styles différents.

318 RÉPÉTITION GÉNÉRALE

Si vous planifiez de faire des changements importants à votre coiffure, prenez le temps de faire quelques expérimentations auparavant. Essayez différents types de perruques pour voir de quoi vous auriez l'air avec une nouvelle coupe ou une couleur différente. Si vous considérez des extensions, amusez-vous auparavant à la maison avec des extensions amovibles avant d'investir dans des extensions fixes, plus dispendieuses et disponibles uniquement en salon.

318 RÉTRO CHIC

Un bandeau classique noir glissé sur le front lissera vos cheveux en place et aidera à étirer les rides. À l'image d'une star sexy des années 50, peignez vos cheveux vers l'arrière et laissez-les tomber de chaque côté du bandeau.

320 CHEVEUX LIBRES

Si la peau de votre menton commence à se relâcher, évitez les chignons serrés. Bien que classiques, ces coiffures conviennent mieux aux profils parfaits. Ces styles peuvent aussi allonger un visage déjà étroit. Privilégiez plutôt des coiffures qui créent du volume autour du menton afin de donner une apparence de plénitude tout en cachant la ligne de la mâchoire.

321 UN *LIFTING* DANS UNE COIFFURE

Essayez de porter vos cheveux en queue de cheval haute et élégante. En plus d'être chic et soignée, cette coiffure tire la peau vers le haut, lui donnant une apparence lisse et tendue.

résolution de problèmes

322 BIENFAITS DU THÉ

Les cheveux gras bénéficieront d'un traitement hebdomadaire à l'infusion refroidie de menthe poivrée, versée sur les cheveux après le rinçage. Ce traitement donnera également à votre chevelure une odeur fraîche de menthe pendant 24 heures.

323 LES PELLICULES ET LE STRESS

Le stress et la tension intérieure peuvent déclencher plusieurs symptômes qui sont révélateurs du déséquilibre dans votre vie. Un dérèglement des glandes sébacées peut conduire les cellules mortes à tomber en petites masses plutôt qu'une par une, causant les pellicules. Pour remédier à ce problème, essayez un shampoing qui contient du zinc, du sulfure ou du sélénium.

324 DÉNEIGEMENT

Les pellicules, ces petites écailles blanches qui se détachent du cuir chevelu et s'accumulent dans les cheveux et sur les épaules, sont presque toujours le résultat d'une détérioration de l'état général de santé. Augmentez votre consommation d'aliments frais et riches en enzymes (fruits, légumes, noix) et prenez deux cuillérées d'huile de lin par jour jusqu'à ce que la condition s'améliore.

325 HYDRATEZ VOTRE CUIR CHEVELU

Un cuir chevelu squameux peut être un signe de sécheresse et le résultat d'une alimentation déficiente, de stress ou de fluctuations hormonales. Il doit être traité avec des produits très hydratants comme un shampoing et un revitalisant à base d'aloès.

326 LES DOMMAGES DU CHAUFFAGE

Le contraste entre les températures extérieures froides et les intérieurs surchauffés peuvent vous laisser avec un cuir chevelu sec qui démange. Pour apaiser votre cuir chevelu, recherchez des shampoings doux provenant d'une gamme de produits biologiques : ils seront tendres envers vos cheveux tout en leur apportant les bienfaits d'extraits de plantes.

327 DÉPANNAGE D'URGENCE

En cas d'urgence, utilisez une infime quantité de crème à mains légère pour discipliner des cheveux rebelles sans les endommager. Après avoir étendu un peu de crème sur vos paumes, attendez qu'elle soit presque entièrement absorbée. Passez-vous ensuite les mains sur toute la longueur de vos cheveux. Assurez-vous de faire suivre avec un traitement revitalisant intense dès le lendemain.

328 L'AFFAIRE EST KETCHUP!

Si vos cheveux blonds acquièrent une teinte verdâtre étrange après un été passé dans des piscines traitées au chlore, essayez le traitement suivant afin de neutraliser la couleur: enduisez votre chevelure de sauce ketchup et laissez agir pendant 20 minutes. Procédez ensuite au shampoing et revitalisant comme d'habitude.

trucs de maquillage rajeunissants

329 CHANGER LA ROUTINE

Si vous vous maquillez de la même façon depuis l'adolescence, il est temps de faire des changements. Rendez visite à votre comptoir cosmétiques préféré et demandez conseil à un professionnel afin qu'il vous montre comment mettre en valeur vos atouts.

330 LUNETTES DE MAQUILLAGE

Si vous ne pouvez vous passer de lunettes pour voir correctement, considérez l'achat de lunettes spéciales de maquillage. Les verres pivotent sur la monture, de telle sorte qu'il est possible de maquiller un côté pendant que l'autre bénéficie d'une loupe.

331 À LA POUBELLE

Faites régulièrement le ménage de vos cosmétiques : jetez tout ce qui est périmé, cassé, asséché. Privilégiez les produits tous usages qui vous permettront de réduire la quantité de bric-à-brac que vous trimbalez dans votre sac à main.

332 CONSEILS DE PRO

Les produits cosmétiques sont en constante évolution et s'améliorent constamment. Si la variété et la diversité des produits vous plongent dans la confusion et que vous ne savez toujours pas faire la différence entre un bâton correcteur et un anti-cernes, prenez rendez-vous au comptoir cosmétiques de votre choix. Vous recevrez des conseils professionnels qui vous guideront dans le choix et l'application des produits.

333 LUMIÈRE DU JOUR

Maquillez-vous toujours à la lumière du jour afin de bien voir les variations dans votre teint, qui change au gré des saisons. Installez un miroir grossissant près d'une bonne source de lumière naturelle, comme une grande fenêtre, et choisissez des teintes appropriées pour un maquillage d'apparence naturelle.

334 UN CHANGEMENT DE DIRECTION

Pensez à changer certains de vos outils de maquillage. Essayez des pinceaux, éponges, et tampons applicateurs de grosseurs différentes, ou encore des outils complètement nouveaux. En répétant chaque jour le même coup de pinceau au même endroit, vous risquez de vous enliser dans une routine de maquillage qui a perdu de sa fraîcheur. Un pinceau de grandeur différente donnera un angle nouveau à votre maquillage et rafraîchira votre *look*.

335 NATURELLE, PAS NUE

À moins de rester chez soi pour une journée de *cocooning*, il est essentiel de soigner sa peau et son maquillage. Ceci est d'autant plus vrai quand la peau a vieilli et nécessite des soins supplémentaires. Ne faites pas l'erreur de croire qu'un visage dénudé de tout maquillage rimera avec jeunesse et fraîcheur. C'est plutôt le contraire : il vous vieillira.

336 PINCEAUX D'ARTISTE

Exigez la meilleure qualité quand vous choisissez des outils de maquillage comme une trousse de pinceaux. L'investissement en vaudra la peine : des pinceaux de bonne qualité, faits de fibres douces au toucher, facilitent l'application du maquillage et garantissent de meilleurs résultats. N'oubliez pas de les nettoyer à l'aide d'un savon doux tous les trois mois.

337 MAQUILLAGE ESTIVAL

En été, votre maquillage doit rester subtil. Quelques touches de maquillage suffiront pour vous donner de l'éclat. Mettez de l'emphase sur les yeux ou sur les lèvres (et non sur les deux), tout en tempérant avec un fard à joues neutre appliqué sur une peau nette. Votre visage rayonnera de fraîcheur estivale.

338 L'ÈRE DU DISCO EST RÉVOLUE

Vous gagnerez à choisir des produits de bonne qualité conçus avec des ingrédients raffinés. Les cosmétiques aux effets extravagants ou criards, surchargés de gels scintillants et de textures plus grossières conviennent davantage aux jeunes filles et risquent d'irriter votre peau.

339 FAIRE PEAU NETTE

Prenez soin de toujours vous démaquiller le soir venu. Au cours de la journée, toutes sortes d'irritants et de polluants, notamment des particules en suspension de fumée, adhèrent au maquillage, formant une couche de résidus susceptible d'étouffer la peau. Le démaquillage doit se faire doucement, en tapotant légèrement la peau à l'aide d'une ouate de coton. Il faut à tout prix éviter de tirer ou de frotter la peau.

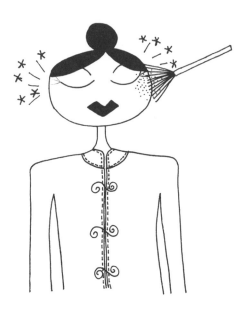

340 UNE STAR EST NÉE

La fonction première du maquillage est de mettre en valeur les atouts d'un visage, et non de masquer ses imperfections. Si vous avez, par exemple, un visage rond, ne tentez pas de sculpter des pommettes saillantes en vous peinturant de fard à joues. Mettez plutôt l'emphase sur vos yeux : avec un maquillage flatteur et subtil, ils seront la vedette de votre visage.

fonds de teint

341 DE BONNES FONDATIONS

Ne vous leurrez pas : l'utilisation d'un fond de teint très épais ne parviendra pas à masquer toutes vos rides et imperfections. Au contraire, elle vous donnera l'air plus âgé. Pour éviter ce désastre, optez pour un fond de teint à la texture légère qui apportera de la luminosité à votre peau. Appliquez une petite quantité seulement, en tapotant légèrement et non en frottant.

342 DÉCOLLETÉ HARMONISÉ

Lorsque vous portez une robe décolletée, rappelez-vous d'appliquer du fond de teint aussi sur votre cou et votre poitrine, de façon à harmoniser le teint du visage à celui du décolleté. Terminez toujours avec un nuage de poudre translucide afin d'éviter que le fond de teint ne tache vos vêtements.

343 BEAUTÉ TRANSPARENTE

Une peau en santé est la meilleure alliée d'un maquillage réussi. Laissez-la transparaître en évitant de la surcharger de fond de teint. Si votre fond de teint habituel vous semble trop lourd ou masquant, mélangez-en une petite quantité avec votre hydratant quotidien.

344 PAS DE FAUX PAS

Assurez-vous de choisir un fond de teint de la bonne couleur, qui s'accorde parfaitement avec votre teint. Faites une analyse de votre teint en appliquant le produit sur la peau du cou, près des oreilles et à la naissance des cheveux et observez le résultat dans la lumière du jour à l'aide d'un miroir grossissant. Un fond de teint de la bonne couleur se fusionnera avec celle de la peau.

345 UN PEU DE PRATIQUE

Un fond de teint peut être appliqué avec les doigts, une éponge humide ou un petit pinceau. Vous devrez expérimenter pour découvrir ce qui donne les résultats les plus naturels. Peu importe la méthode, douceur et délicatesse sont de mise au cours de l'application. Évitez d'étaler le produit d'un seul geste à travers tout le visage. Tapotez doucement pour une absorption optimale.

346 LA TEXTURE DICTE LES OUTILS

Si vous avez les pores larges, appliquez votre fond de teint avec les doigts. L'éponge tend à déposer une quantité trop importante de produit, ce qui bloque les pores et les rend plus visibles.

347 FUSION PARFAITE

Demandez conseil auprès de votre représentante en cosmétiques afin d'identifier la couleur parfaite de fond de teint qu'il vous faut. N'oubliez pas que le ton de votre peau peut changer avec le temps, en fonction de facteurs tels l'environnement, le vieillissement et votre routine de vie. Certaines marques de produits haut de gamme offrent même de préparer une couleur personnalisée qui s'harmonisera parfaitement à votre peau.

348 TOUCHE LÉGÈRE

La plupart des gens utilisent beaucoup trop de fond de teint. L'application doit plutôt se faire toute en légèreté, en petite touches, sur les joues, le front et le nez. Puis étalez doucement pour faire pénétrer de façon uniforme. N'ayez pas peur de laisser certaines parties du visage sans fond de teint.

349 DE BELLES POMMETTES

Si vous avez le teint pâle et blême, une touche de fard à joues donnera un peu de chaleur à votre visage. Choisissez des tons « chauds » ou des tons « froids » selon la carnation de votre peau. En cas de doute, demandez conseil auprès de votre comptoir cosmétiques. Le fard doit être appliqué sur les pommettes des joues, puis estompé avec des mouvements circulaires et fluides.

350 L'ÉTÉ EN TOUTE LÉGÈRETÉ

Ayez la touche légère durant l'été… Laissez tomber le fond de teint au profit d'un hydratant teinté muni d'un FPS 15 qui vous offrira une protection contre le soleil tout en couvrant les imperfections occasionnelles.

anti-cernes et correcteurs

351 CERNEZ LE PROBLÈME

Le manque de sommeil est le plus souvent en cause lors de l'apparition de cernes sous les yeux. Pour un camouflage éclair, appliquez un fond de teint qui contient des pigments réflecteurs de lumière en petites touches sous les yeux. À l'aide de votre index, estompez tout doucement car la peau de cette région est délicate.

352 RAVIVEZ DES YEUX FATIGUÉS

Pour des cernes foncés et creux, appliquez un anti-cernes extra-fort en petites couches minces, à l'aide d'un pinceau-applicateur. Travaillez le produit en tapotant délicatement la peau, et non en frottant.

353 DOUBLE ACTION

Si vous vous réveillez constamment avec des poches sous les yeux, utilisez un anti-cernes à base de plantes qui a été spécifiquement conçu pour camoufler les cernes tout en apaisant les yeux bouffis. Ce produit à l'action simultanée devrait à la fois rafraîchir, raffermir et éclaircir.

354 ET LA LUMIÈRE FUT

N'utilisez pas un fond de teint pour camoufler des plis et rides profondes. Utilisez plutôt un illuminateur qui reflétera la lumière et donnera un éclat rajeunissant à votre visage.

355 PALETTE D'ARTISTE

Une palette de bâtons correcteurs peut s'avérer indispensable lorsqu'il est temps de couvrir les cernes sous les yeux, les imperfections et les rougeurs. Un mélange de jaune et de vert appliqué en massant avec les doigts fera des merveilles pour camoufler vos zones problème.

356 CAMOUFLER DES JOUES ROUGES

Si vous souffrez de rosacée (une condition caractérisée par des rougeurs excessives sur les joues, le nez, le menton et le front), utilisez un correcteur dans les tons de vert pour réduire l'intensité de la couleur rouge. Recherchez un produit dont les ingrédients contribuent également à améliorer la circulation. Si la condition se détériore, consultez votre médecin de famille ou un dermatologue.

357 HABIT DE CAMOUFLAGE

Les rougeurs et les imperfections tendent à augmenter durant la période qui précède la ménopause en raison du déclin des niveaux d'œstrogène. Pour les camoufler, utilisez un correcteur qui contient de l'acide salicylique afin de traiter les boutons.

358 FOND DE TEINT EN PREMIER

Le correcteur doit être appliqué après le fond de teint, celui-ci étant parfois suffisant pour camoufler les imperfections. Estompez le tout à l'aide d'un pinceau applicateur ou de votre doigt.

359 SOYEZ DANS LE TON

Ne choisissez pas un correcteur dont la couleur est plus claire que votre teint naturel : vous risquez de mettre en évidence vos imperfections au lieu de les camoufler. Pour illuminer votre teint, optez pour un produit dont le ton est similaire à votre peau, mais muni d'un diffuseur de lumière.

360 TROP, C'EST TROP

Tout produit cosmétique doit être appliqué avec une touche légère. Peu importe la nature du produit – crème, lotion, poudre –, une application trop généreuse finira par s'accumuler dans les petits plis et rides que vous essayez de dissimuler. Commencez avec une toute petite quantité, et ajoutez au besoin.

361 CAMOUFLER ET NOURRIR

En vieillissant, la peau sous les yeux devient plus mince ; les cernes deviennent ainsi plus apparents puisque les veines et les vaisseaux sanguins sont plus près de la surface dans cette région. En plus d'une prédisposition génétique, c'est la raison qui explique pourquoi les cernes deviennent plus évidents avec l'âge. L'utilisation d'un anti-cernes est indiqué, mais vous réussirez aussi à minimiser le problème en hydratant la zone sous les yeux avec une crème contour riche en ingrédients antioxydants comme le thé vert, l'extrait de pépin de raisin, de même que les vitamines C, E et K.

362 ANTI-TACHES

Pour un teint uni, vous devez camoufler les taches de naissance, les taches de soleil et les taches de vieillesse. Utilisez à la fois un fond de teint et un correcteur, en mélangeant deux tons si nécessaire.

363 BELLE ET UNIQUE

Apprenez à aimer vos imperfections, car elles font partie de ce qui vous rend unique. Ne tentez pas de vous resculpter le nez avec des couches épaisses de correcteur ou de fard : il aura plutôt l'air maculé de saletés.

364 LES CAPILLAIRES AUSSI

Pour camoufler des capillaires brisés ou un teint inégal, appliquez un correcteur sur la peau à l'aide de vos doigts ou d'un pinceau, et estompez doucement.

365 TEINT DE PÊCHE

Pour camoufler des boutons et des veines rouges sur une peau claire, utilisez un correcteur qui diffuse la lumière dans les tons de jaune ou de pêche. Ces couleurs dissimulent également avec brio les cernes sous les yeux.

366 VIEILLIR SANS BALAFRES

Nous portons tous les marques du temps : même les peaux les plus belles et les plus parfaites finissent par accumuler quelques cicatrices. Pour camoufler les petites cicatrices, utilisez un correcteur dermatologique spécial.

367 DES YEUX LUMINEUX

Pour réveiller des yeux ultra-fatigués, appliquez en petites touches du fond de teint sous les yeux et sur la paupière. Estompez délicatement avec un pinceau ou votre petit doigt pour camoufler les cernes foncés, puis bordez la paupière inférieure à l'aide d'un crayon traceur de couleur blanche. En un instant, vos yeux auront de l'éclat!

368 DÉCONGESTIONNANT

Pour mieux réussir le maquillage des yeux, vous devez commencer avec une bonne base. Utilisez une crème contour des yeux de bonne qualité afin de bien hydrater la peau et de réduire la congestion.

fards et illuminateurs

368 BEAUTÉ DE LIMOGES

Si vous avez un teint de porcelaine, cessez de perdre votre temps avec des faux bronzages et des fards bronzants. Acceptez votre pâleur et donnez-lui une touche de fraîcheur à l'aide d'un fard à joues appliqué au sommet des pommettes.

370 PROTECTION POUDRÉE

Une poudre légère et lumineuse peut être utile pour fixer le maquillage car elle contribue à sceller l'humidité dans la peau et à la protéger des dommages environnementaux.

371 ILLUMINEZ VOTRE TEINT

Utilisez un illuminateur si vous désirez donner de l'éclat à une peau devenue terne, mais choisissez un produit dont les particules de nacre sont très fines. Les produits remplis de particules plus grosses qui étincèlent ne peuvent convenir qu'à des filles très jeunes. Pour un *look* radieux sans être huileux, appliquez de l'illuminateur sur vos pommettes et sous vos sourcils. Vous pouvez également le mélanger à votre fond de teint habituel.

372 PLEINS FEUX SUR LE VISAGE

Pour découvrir les zones du visage qui bénéficieront le plus de l'ajout d'un illuminateur, faites des essais devant un miroir sous une lumière très claire. Puisque vous essayez d'obtenir un éclat naturel, privilégiez les zones du visage qui sont naturellement atteintes par les rayons du soleil, comme le sommet des pommettes.

373 PLAN STRATÉGIQUE

Donnez à votre visage un petit stimulant en appliquant par petites touches un illuminateur en quelques points stratégiques : le coin interne de l'œil, les lèvres, le bout du nez. Cette astuce vous donnera éclat et définition.

374 EFFET RADIANCE

Les produits vendus sous le nom de « booster radiance » et de « illuminateur de teint » ont plusieurs fonctions. Ils peuvent servir à accentuer certaines caractéristiques de l'ossature du visage; ils peuvent camoufler des ridules et une peau sans éclat; ils peuvent aussi servir de base sous le fond de teint en resserrant et lissant la surface de la peau pour en faciliter l'application.

375 HÂLE ENSOLEILLÉ

Si vous n'avez pas assez de temps pour appliquer un autobronzant, utilisez une crème bronzante qui vous donnera le même effet ensoleillé. Appliquez sur les pommettes, les tempes, sur le nez et sur le centre du cou pour un teint rajeuni et plein d'éclat. Pour un effet naturel, allez-y avec modération et légèreté.

376 LE MEILLEUR PINCEAU APPLICATEUR

Pour une application optimale du fard à joues, choisissez toujours un gros pinceau à tête plate fait de fibres à 100 % naturelles. Ce type de pinceau est doux, n'égratignera pas la peau et permettra une application uniforme des fards, sans stries disgracieuses.

377 UNE TOUCHE D'ÉCLAT

En vieillissant, la peau perd de sa pigmentation et de sa couleur, ce qui rend l'utilisation d'un fard à joue rosé encore plus important, particulièrement durant les mois d'hiver lorsque la peau est pâle. Une teinte de rose donnera un éclat instantané à votre visage et vous fera paraître pleine de vie et rajeunie.

maquillage des yeux

LIGNEUR LIQUIDE

378 TONS DOUX ET NATURELS

Des tons doux et neutres aident à ouvrir le regard, tandis que les tons foncés et ténébreux tendent à rapetisser les yeux. Un fard trop scintillant finira par s'accumuler dans les petits plis d'où ils refléteront la lumière, attirant ainsi l'attention sur vos pattes d'oie. Gardez les effets brillants uniquement pour le coin interne de l'œil.

379 SOLUTION SEMI-PERMANENTE

Le maquillage semi-permanent est une procédure non-chirurgicale qui consiste à injecter dans la peau des pigments organiques et minéraux. Il ajoute de la définition à la paupière et permet d'économiser du temps en offrant un « *lifting* optique » qui ouvre le regard. Consultez un professionnel.

380 MÉTAL PRÉCIEUX

Si vous avez les yeux foncés, appliquez de petites touches d'ombre à paupières de couleur argent métallique sur le coin interne de l'œil pour élargir et illuminer les yeux.

381 MAQUILLAGE À L'OMBRE

Une ligne estompée d'ombre à paupières peut être plus flatteuse qu'un trait parfait de crayon traceur. Estompez la ligne dans les coins externes des yeux pour un *look* plus doux, qui n'attire pas trop l'attention sur les ridules et les pattes d'oie qui entourent les yeux. Utilisez un fard poudre et un pinceau plutôt qu'un crayon pour fusionner la couleur avec la ligne de la paupière.

382 OMBRE À PAUPIÈRES CRÈME

La peau des paupières tend à devenir mince et sèche en vieillissant. Choisissez une ombre à paupières crème plutôt qu'un fard poudre, car elle restera sur la paupière plus longtemps.

383 TOUCHE FINALE

Après vous être maquillé les yeux, appliquez une petite touche de fard iridescent incolore sur le centre de votre paupière près des cils. Cette finition reflète la lumière, ouvre le regard et fait paraître les paupières moins tombantes.

384 DU BRUN POUR LES BLONDES

Si vous avez la peau pâle et les cheveux blonds (naturels ou colorés), évitez de porter du mascara noir et très épais, qui vous donnera l'air sévère et artificiel. Les blondes devraient toujours porter un mascara brun foncé, une couleur qui s'harmonise beaucoup mieux à leur teint.

385 ADIEU MASCARA

Si vous vous retrouvez toujours à la fin de la journée avec des traces de mascara sous les yeux, considérez une teinture et une permanente des cils. Vous aurez de beaux cils foncés et frisés qui mettent en valeur les yeux, sans les couches dégoulinantes de mascara.

386 ALLEZ JUSQU'AU BOUT

Que vous utilisiez un crayon khôl au fini velouté ou un ligneur liquide pour border la paupière supérieure, tracez toujours une ligne qui couvre toute la longueur de la paupière. Une ligne qui s'arrête à mi-chemin rapetisse les yeux et les font paraître plus rapprochés.

387 LIGNE PARFAITE

Lorsque vous vous maquillez les yeux, n'hésitez pas à corriger vos petites bavures à l'aide d'un coton-tige imbibé de démaquillant. Personne ne saura que vous avez fait de petites retouches ici et là, et votre maquillage paraîtra impeccable.

388 CILS FRISÉS

Outil indispensable pour des yeux fatigués et tombants, le recourbe-cils fait des merveilles pour ouvrir le regard. Il semble y avoir peu de différence entre les modèles dispendieux et plus économiques, alors nulle raison de s'en priver. Utilisez-le avant le mascara pour de meilleurs résultats.

389 À LA FINE POINTE

Appliquez votre mascara en déplaçant la brosse avec des mouvements à la fois généreux et précis vers la cime et l'extérieur des cils. Concentrez-vous sur les pointes. Une couche épaisse de mascara sur les racines des cils feront paraître vos yeux petits et rapprochés.

390 EXTENSIONS DE CILS

En vieillissant, il arrive que les cils, tout comme les cheveux, s'éclaircissent, parfois jusqu'à disparaître. Mise au point tout récemment, une procédure permet d'ajouter des extensions de cils longs et épais à l'aide d'un produit liant non-toxique. Les cils synthétiques sont attachés un à un sur vos cils pour un effet tout à fait naturel et séduisant.

391 CILS DE STAR

Vous aimez le *look* glamour des faux cils, mais redoutez d'avoir l'air d'un travelo? Essayez d'alterner la longueur des faux cils que vous portez. Appliquez côte à côte des faux cils courts et moyens et vous aurez un effet naturel et plein de charme.

392 TOUT EN LONGUEUR

Si vous optez pour une teinture des cils, ne négligez pas pour autant de les recouvrir d'un mascara en gel incolore, muni de fibres minuscules qui permettent d'en rehausser la longueur.

393 TROUSSE D'URGENCE

Si vous devez vous maquiller à la dernière minute et que votre trousse de maquillage est très limitée, utilisez votre mascara pour tracer une ligne à la racine des cils inférieurs. Cette petite astuce accentue et ouvre le regard, sans avoir recours au crayon kôhl.

394 PRENEZ LE DESSUS

Si vous vous réveillez souvent avec des cernes bouffis sous les yeux, concentrez-vous sur la paupière supérieure lors du maquillage. Évitez d'utiliser du mascara sur les cils inférieurs : il tend à baver et à aggraver l'apparence des cernes.

395 OMBRE SUBTILE

Utilisez l'ombre à paupières avec parcimonie. Les paupières tendent à devenir tombantes et ridées en vieillissant, de telle sorte que des couches épaisses d'ombre à paupières risquent de s'accumuler dans les plis et rides.

396 NOURRISSEZ VOS CILS

Avec l'âge, vos cils deviendront plus courts et plus clairs. Optez pour un mascara qui contient des peptides de cuivre dans sa liste d'ingrédients. En nourrissant les follicules pileux, ils contribuent à allonger les cils.

coloration et épilation des sourcils

397 UN PEU DE DISCIPLINE

Une petite touche de gelée de pétrole (ou de baume à lèvres) peut aider à discipliner des sourcils rebelles et à leur donner une apparence lisse et sophistiquée. Vous pouvez également utiliser du fixatif vaporisé sur une petite brosse.

398 PRENEZ UNE PAUSE

Si le vieillissement ou une épilation excessive vous ont laissé avec des sourcils épars, cessez de les épiler pendant plusieurs mois pour avoir une meilleure idée de ce qui vous reste. Parfois, c'est l'habitude plutôt que la nécessité qui nous porte à nous épiler les sourcils tous les matins. Au bout de quelques mois, vous pourriez avoir la surprise de redécouvrir de beaux sourcils fournis!

399 SOURCILS CLAIRSEMÉS

Remplissez des sourcils clairsemés en brossant d'abord les sourcils vers le haut. Appliquez sur les zones clairsemées un fard dont la couleur est d'un ton plus clair que vos sourcils. Terminez avec un crayon à sourcils de la même couleur que les vôtres en dessinant de petits traits courts semblables aux poils.

400 *LIFTING* DES SOURCILS

Appliquez un gel teinté sur vos sourcils pour une mise en beauté rapide. Le mascara pour sourcils colore avec subtilité, discipline et donne une apparence soignée aux sourcils, ouvrant du même coup le regard.

401 SOURCILS ÉPILÉS : *LIFTING* INSTANTANÉ!

Avec l'âge, les paupières supérieures tendent à tomber. Des sourcils bien dessinés rehaussent l'arcade sourcilière et rajeunissent le visage. Pour une épilation optimale, commencez en démarquant les zones à épiler à l'aide d'un crayon Kohl blanc. Appliquez un morceau de glace pour désensibiliser la peau et arrachez le poil en posant la pince le plus près possible de la racine.

402 SOURCILS BIEN NANTIS

Les sourcils peuvent devenir clairsemés avec l'âge. Si vous voulez créer l'illusion de sourcils plus fournis, utilisez deux tons de brun d'un fard sourcils ou d'un fard à paupières (jamais un crayon). Employez le brun plus clair pour les zones plus fournies et le brun foncé pour les extrémités. Le fard permettra de créer un *look* naturel qui n'est pas possible avec le crayon.

403 SOIGNEZ VOS SOURCILS

Des sourcils trop rapprochés vous feront paraître âgée et négligée. Rappelez-vous que l'extrémité interne des sourcils doit s'aligner verticalement avec le coin interne de l'œil. Mais ne tentez jamais de vous redessiner artificiellement les sourcils ou de copier le *look* d'une célébrité. La forme des sourcils qui vous conviendra le mieux est la vôtre.

404 ÉPILATION MODE D'EMPLOI

Il existe un truc astucieux pour déterminer la longueur idéale des sourcils. Tenez un crayon à la verticale le long du nez. La pointe du crayon vous indiquera où devrait s'arrêter l'extrémité interne de votre sourcil. Tenez ensuite le crayon en diagonale, de la narine jusqu'au coin externe de l'œil : il pointera vers l'extrémité externe. Épilez les poils épars au-delà de ces limites.

405 COLORATION DES SOURCILS

Si vos sourcils sont en train de grisonner, ne tentez surtout pas de les colorer vous-même avec des produits en vente libre. Faites confiance à un professionnel. Pour les retouches entre deux rendez-vous, utilisez un mascara à sourcils qui s'harmonise avec votre couleur naturelle. Une stratégie beaucoup moins risquée!

406 ÉPILER SANS DÉFRICHER

Des sourcils amincis par une épilation excessive vous feront paraître plus âgée. Stimulez la croissance de vos sourcils en les brossant quotidiennement avec une vieille brosse à dents aux poils doux.

407 ÉPILATION EN DUO

Combinez plusieurs techniques d'épilation pour un résultat optimal. L'épilation à la cire permet de bien dessiner la ligne du sourcil tandis que la pince arrache les poils épars pour un sourcil à l'apparence bien définie et soignée.

408 DEUX TONS

Pour intensifier la couleur des sourcils tout en conservant une apparence naturelle, utilisez deux tons de crayon à sourcils. Travaillez en petites touches plutôt qu'en traçant de longues lignes sur les sourcils.

409 TIREZ LES FICELLES

Issue des traditions esthétiques de l'Inde, l'épilation à la ficelle est une méthode rapide et très précise. À l'aide d'un petit fil de coton tendu entre ses doigts, l'esthéticienne retire chaque poil à la racine. Cette technique permet également d'extraire les poils très fins des sourcils, pour une apparence ultra-lisse. Elle s'utilise également pour épiler les poils indésirables au-dessus de la lèvre supérieure et sur le menton.

410 PAS DE TATOUAGE

Résistez à la tentation de vous faire tatouer les sourcils en quête d'une ligne parfaite. Le résultat sera sévère et artificiel.

411 UNE BONNE HABITUDE

Brossez vos sourcils tous les jours avec de la gelée de pétrole. Ce petit geste stimule la croissance des poils, qui deviendront plus épais et lustrés.

maquillage des lèvres

412 DONNEZ DU VOLUME

Maximisez le potentiel de vos lèvres en utilisant un gloss ou un brillant à lèvres. Il gonflera vos lèvres et contribuera à réduire l'apparence des petites ridules et des rides qui se forment au-dessus de la lèvre supérieure. Ces produits contiennent des ingrédients qui réagissent avec la peau de façon à donner du volume aux lèvres. Pour des lèvres charnues sans chirurgie!

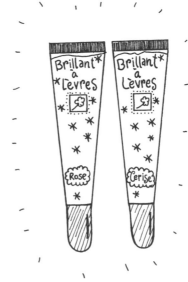

413 PRÉVENTION LÈVRES SÈCHES

Gardez toujours un baume à lèvres dans votre sac à main et rappelez-vous de vous en servir plusieurs fois par jour par temps froid et sec. Optez pour un baume qui contient du beurre de karité ou de l'aloès afin de garder vos lèvres bien hydratées et souples.

414 RETROUVER LA PLÉNITUDE

Lorsque la production de collagène décroît, les lèvres deviennent moins pleines et souples. Pour redonner un peu de plénitude aux lèvres minces, utilisez un crayon à lèvres de la même couleur que votre rouge à lèvres et colorez vos lèvres en entier. Appliquez ensuite le rouge à lèvres et estompez doucement.

415 LE BON DOIGTÉ

Si votre rouge à lèvres a tendance à fuir, utilisez vos doigts pour appliquer un rouge à lèvres hydratant en petites touches. Cette technique assurera une plus longue tenue et sera plus naturelle et seyante qu'une couche épaisse de rouge à lèvres appliquée d'un trait.

416 SECRET DE CUPIDON

Pour donner l'illusion d'une lèvre supérieure plus charnue, appliquez une petite touche de gloss iridescent au centre des lèvres. Cela mettra en valeur l'arc de cupidon de la lèvre supérieure, la faisant paraître plus pleine et gonflée.

417 LA GRANDE NOIRCEUR

À moins d'avoir des lèvres absolument parfaites et de posséder l'expertise d'un professionnel, évitez de vous maquiller les lèvres de couleur très foncée. C'est très peu flatteur pour la plupart des visages et vous donnera l'air plus âgé. Le contraste entre les lèvres et la peau est trop frappant et la couleur déteint souvent sur les dents.

418 UN ZESTE DE COULEUR

Trouvez un rouge à lèvres qui vous va à ravir et gardez-le avec vous en tout temps. Optez pour un ton qui s'harmonise à la couleur naturelle de vos lèvres, tout en y ajoutant un peu de zeste. Ce rouge à lèvres vous dépannera en tout temps lorsque vous devez quitter la maison en vitesse.

419 UN VOILE DE COULEUR

Si vous avez une petite bouche et les lèvres minces, évitez les couleurs foncées et mattes qui donnent un air sévère et accentuent les ridules autour des lèvres. Optez plutôt pour des tons légers et lustrés qui s'harmonisent à la couleur naturelle de vos lèvres.

420 AU NATUREL

En vieillissant, vos lèvres perdent de la couleur, de telle sorte que vous devez toujours « teinter » vos lèvres avec une couleur subtile même si vous préférez un *look* naturel et l'utilisation d'un simple baume ou gloss incolore.

421 LUSTRE INSTANTANÉ

Gardez toujours à portée de la main un gloss de couleur neutre. En l'absence de miroir, il s'applique facilement et en vitesse et ajoutera instantanément de la couleur et du lustre à vos lèvres.

422 FIXEZ LA COULEUR

Des lèvres rouge vif sont trop voyantes sur des visages matures et peuvent avoir l'air inélégant. Si vous désirez porter une couleur intense, assurez-vous qu'elle ne fuie pas dans les ridules autour des lèvres en utilisant un crayon contour des lèvres transparent qui aidera à sceller la couleur.

423 LE ROUGE QUI BLANCHIT LES DENTS

Choisissez la couleur de votre rouge à lèvres avec soin. Des tons pourpres et bleutés feront paraître vos dents plus blanches tandis que les tons bruns et orangés peuvent leur donner une teinte jaunâtre.

424 VISAGE NU

Ne vous maquillez pas le visage lorsque vous magasinez une nouvelle couleur de rouge à lèvres. Un visage nu vous permettra de mieux harmoniser la couleur du rouge à lèvres au ton naturel de votre peau et de vos lèvres.

425 SOIRÉE SANS RETOUCHES

Lorsque vous vous préparez pour une soirée durant laquelle vous n'aurez pas l'occasion de faire des retouches continuelles à votre maquillage, choisissez un rouge à lèvres à base de cire qui restera en place toute la soirée et ne fuira pas dans les ridules autour de la bouche.

426 UN PEU DE TENUE, S'IL-VOUS-PLAÎT!

Les nouvelles formules de rouge à lèvres longue tenue sont à éviter. Ils sont difficiles à appliquer correctement et mettent en évidence la forme des lèvres, de même que chacune des ridules qui se sont formées autour de la bouche. Mieux vaut s'en tenir aux gloss neutres et aux tons lustrés qui mettent en valeur vos atouts.

les ongles

427 PREMIERS SOINS

Ne négligez jamais de vous occuper d'une petite fissure sur un ongle : elle finira inévitablement par se transformer en ongle cassé ou déchiré. Faites plutôt appel à une trousse de réparation d'ongles en vente libre dans les pharmacies. Après avoir posé la petite bande de papier adhésif sur l'ongle cassé, appliquez le liquide réparateur et recouvrez de vernis.

428 ATTENTION AUX DURCISSEURS

L'usage prolongé d'un durcisseur d'ongles qui contient du formaldéhyde aura un effet asséchant sur vos ongles et les rendra plus cassants. Afin de stimuler une croissance saine des ongles, massez les cuticules et les ongles chaque jour avec de l'huile de jojoba et de la vitamine E.

429 PÂLE ET CHIC

Des ongles soignés attirent toujours l'attention. Un vernis transparent ou rose pâle garantit une finition élégante, tandis que de longs ongles rouge vif vous donneront plutôt l'air âgé et acariâtre.

430 ONGLES EN VEDETTE

Les ongles artificiels les plus durables sont faits d'acrylique ou de gel. La manucuriste doit d'abord polir la surface des ongles, puis elle applique de minces couches d'acrylique liquide qui dépassent la longueur des ongles naturels. Ces ongles synthétiques sont faciles à vernir et durent environ trois semaines. De quoi transformer des mains négligées en mains de star!

431 TRAITEMENT DE FAVEUR

Avec l'âge, la vitesse de croissance des ongles diminue de moitié. Un traitement nourrissant qui stimule leur croissance consiste à masser des huiles riches en vitamines sur la base des ongles chaque nuit.

432 COMMENT RESTER POLI

Des ongles nus qui sont propres, lustrés et polis sont préférables aux ongles recouverts d'une couche écaillée de vernis. Mais limitez le polissage des ongles à une fois par semaine. Le polissage excessif fragilise les ongles en abîmant la couche superficielle qui devient plus poreuse.

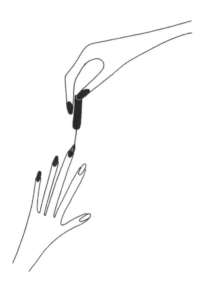

435 FAUX ET BEAUX

Ne ruinez pas un *look* estival resplendissant avec des ongles d'orteil ravagés et disgracieux. Procurez-vous de faux ongles en plastique qui adhèrent aux ongles naturels et peuvent être taillés et vernis coquettement. Personne ne se rendra compte de l'imposture et vos nouvelles sandales d'été brilleront à leur juste valeur!

436 SOIE NATURELLE

Il est possible de rehausser la longueur des ongles avec des pellicules de fibres de verre ou de soie déposées et fondues sur la surface des ongles naturels à l'aide d'une résine. Lorsqu'ils sont secs, les ongles sont ensuite polis et vernis. Le résultat est tout à fait naturel et n'a pas l'apparence synthétique des ongles en plastique.

433 MARGE D'ERREUR

Pour un vernissage impeccable et sans bavures, laissez une marge tout autour de l'ongle. Vos ongles paraîtront également plus longs et minces.

434 LES ONGLES ET LA SANTÉ

La santé des ongles et des cheveux est intimement liée à l'état général de santé. Hydratez vos cuticules à l'aide d'une huile spécialement conçue pour cette zone ou d'un baume à lèvres gras.

437 RETOUR À LA BASE

Si vous aimez les ongles vernis, gardez-les en santé en appliquant toujours une couche de base transparente avant la couleur. Cette couche favorise l'adhésion du vernis et empêche la couleur de déteindre sur la surface de l'ongle.

superbes sourires

438 SOURIEZ À LA VIE

Rien n'est plus attirant qu'une femme arborant un magnifique sourire. Souriez! Vous aurez l'air jeune, heureuse et débordante de vie. Ne gardez pas votre sourire uniquement pour les grandes occasions… souriez tous les jours!

439 BELLES DENTS BLANCHES

En vieillissant, les dents prennent naturellement une teinte plus foncée. Plusieurs facteurs en sont responsables, notamment la cigarette, l'accumulation de tartre et les taches. Gardez vos dents blanches à l'aide d'une trousse de blanchiment des dents en vente libre dans les pharmacies. Ils contiennent une légère solution au gel de peroxyde d'hydrogène qui doit être appliquée sur les dents et agit durant une trentaine de minutes.

440 SOURIRE DE PRO

Vous pouvez avoir recours aux services professionnels d'un dentiste pour vous blanchir les dents. Le traitement en cabinet consiste à appliquer, à l'aide d'une gouttière parfaitement adaptée à vos dents, un gel blanchissant d'une concentration plus élevée que celle des produits en vente libre. Pour de meilleurs résultats, vous devez compléter le traitement en cabinet par un traitement de maintenance à la maison en portant la gouttière pendant quelques heures tous les jours.

441 GENCIVES EN SANTÉ

Une hygiène dentaire déficiente peut entraîner le développement de certaines maladies comme la gingivite et éventuellement la perte des dents. Veillez à vous brosser les dents adéquatement avec un dentifrice au fluor à tous les jours afin d'éliminer le tartre et maintenir une bonne santé des dents et des gencives.

442 BLANCHIR AU LASER

Lors d'un traitement de blanchiment au laser, le dentiste pose une gouttière spéciale pour protéger les gencives puis applique un gel blanchissant très concentré qui sera activé sous l'effet d'un faisceau laser. La lumière laser accélère le processus de blanchiment et donne des résultats généralement excellents.

443 BEAUTÉ INTÉRIEURE

Le blanchiment interne permet d'éclaircir une dent dévitalisée de l'intérieur. Le dentiste dépose un produit blanchissant à l'intérieur de la dent par le biais d'un petit trou percé dans la dent. Le trou est ensuite scellé temporairement pour laisser agir le produit. Environ une semaine plus tard, le produit blanchissant est retiré et le trou réparé.

444 BLANCHIR AU NATUREL

La consommation prolongée de produits comme le thé, le café et la cigarette peut tacher et jaunir les dents. En plus d'un brossage régulier et d'une bonne hygiène dentaire, essayez cette recette naturelle pour vous blanchir les dents : mélangez du bicarbonate de soude et du jus de citron et massez doucement sur les dents et les gencives.

445 LE SOURIRE SOUS TOUTES SES FACETTES

Si vous n'aimez pas l'apparence de votre sourire en raison de dents désalignées ou ébréchées, pensez à vous faire poser des facettes personnalisées. Ce sont des petites coquilles de porcelaine ou de composite qui sont cimentées sur les dents pour en améliorer l'apparence.

446 SOURIRE FRUITÉ

Essayez cette façon économique et naturelle pour vous blanchir les dents : écrasez quelques fraises fraîches pour en faire une pâte et étendez-la sur les dents à l'aide d'une brosse à dents. Les fraises contiennent de l'acide malique, un agent naturel qui contribue à blanchir les dents. Mais attention, il faut toujours brosser les dents avec un dentifrice au fluor par la suite.

447 SOURIRE EXPRESS

Des dents droites et alignées sont essentielles à un sourire de star. Le traitement orthodontique accéléré est une nouvelle technique qui vise à aligner les dents et corriger les malocclusions dans une période beaucoup plus courte (de trois à huit mois) que les traitements traditionnels (deux à trois ans).

448 ORALIFT

Oralift est un nouveau type d'appareil dentaire anti-âge qui fonctionne en élargissant l'espace entre les dents, forçant les muscles du visage à changer légèrement de forme, ce qui stimule la circulation sanguine et réduit l'apparence des rides.

448 LIFTING DENTAIRE

Conçu spécifiquement pour contrer les effets du vieillissement, le *lifting* dentaire redonne aux dents arrière et du devant leur taille originale à l'aide d'un alliage de porcelaine. Les dents restaurées supportent mieux la mâchoire et rétablissent la structure originale du visage, ce qui contribue à effacer certaines rides profondes au milieu du visage.

450 COURONNEZ VOTRE SOURIRE

La dentisterie esthétique peut faire des merveilles pour améliorer l'apparence de dents malformées, cariées ou endommagées par le vieillissement. Un dentiste peut entre autres poser une couronne qui recouvrera entièrement la dent abîmée et dont la forme sera parfaitement adaptée à votre dentition. Vous pouvez choisir de remplacer toutes vos dents par des couronnes et presto! Un nouveau sourire aux dents parfaites et d'apparence naturelle.

451 SUIVEZ LE FIL DE SOIE

Vous devez utiliser la soie dentaire tous les jours, idéalement après le repas du soir, afin d'éliminer toute trace de nourriture coincée entre les dents et susceptible de causer la formation de tartre. Insérer la soie entre vos dents avec un très léger mouvement de scie. Pour les espaces plus larges entre les dents, utilisez une brosse interdentaire.

452 S.O.S. DENTISTE

Visitez régulièrement votre dentiste afin de maintenir votre santé buccale et de prévenir les problèmes dentaires importants. Lié à la consommation d'alcool et de cigarette, le cancer de la bouche est en hausse. Un dentiste sera en mesure de détecter toute anomalie.

épilation

453 PILE-POIL

Les changements hormonaux liés au vieillissement entraînent souvent une augmentation de la pilosité faciale, notamment au-dessus de la lèvre supérieure et sur les côtés du visage. Appropriées pour les sourcils, les pinces à épiler sont cependant à éviter pour l'extraction des poils indésirables sur ces zones, qui sont beaucoup trop fins et fragiles.

454 ÉPILATION TECHNO

Le traitement laser est la meilleure solution pour éliminer les poils foncés au-dessus de la lèvre supérieure. Pour de meilleurs résultats, optez pour l'épilation définitive au laser Alexandrite plutôt que la méthode, plus commune, à la lumière intense pulsée.

455 CIRE CHAUDE

Une lèvre supérieure bordée de poils sombres doit être traitée régulièrement. Si vous avez le teint foncé et ne pouvez bénéficier d'un traitement laser, essayez une épilation à la cire chaude en salon d'esthétique. Ce traitement dispose efficacement et instantanément des poils, mais il peut être douloureux et irrite temporairement la peau.

456 SOUS LA DOUCHE

La façon la plus rapide et efficace de se raser les jambes est sous la douche, munie d'un rasoir propre et bien aiguisé. L'eau chaude ouvre les pores de la peau et favorise un rasage impeccable. C'est la méthode de prédilection des tops modèles!

457 SOLUTION DISSOLUTION

Pour les poils fins du visage, essayez une crème ou un gel dépilatoire spécifiquement conçu pour cette région délicate. Efficaces et économiques, les produits dépilatoires réagissent avec la protéine fibreuse des poils, de façon à les dissoudre et à les éliminer. Cependant, ils peuvent irriter la peau ainsi il est préférable de faire des essais sur une zone moins sensible auparavant.

458 ÉLECTRO EFFICACE

Le traitement à l'électrolyse peut être long et s'avérer douloureux, mais les résultats sont permanents. Pratiqué par une esthéticienne spécialisée en électrologie, il consiste à insérer une aiguille dans le follicule afin d'envoyer une décharge électrique qui en élimine la racine. Assurez-vous de trouver un spécialiste qualifié : mal pratiquée, l'électrolyse peut causer de l'inflammation et des cicatrices.

459 LUMIÈRE PULSÉE

Si vous visez une épilation définitive, essayez le traitement à la lumière intense pulsée. Cette technique repose sur l'absorption de l'énergie lumineuse, qui est redirigée sur le follicule pileux afin de le désactiver et ainsi faire cesser la croissance. Plusieurs traitements seront nécessaires.

460 PEAU LISSE AU LASER

Si vous avez la peau pâle et les poils foncés, l'épilation par laser diode est idéale pour vous. La mélanine pigmentaire dans le poil absorbe la lumière du laser, ce qui rend le traitement plus efficace. La procédure augmente la température dans la tige et le follicule pileux, au point de les détruire. Plusieurs traitements sont nécessaires.

461 SOLUTION SUCRÉE

Si votre peau est sensible et réagit à la cire, essayez l'épilation au sucre. Une mixture sirupeuse est appliquée sur la peau, puis retirée rapidement afin d'extraire les poils à la racine.

chirurgie esthétique du corps

462 PRÉPAREZ-VOUS

Si vous décidez de tenter l'aventure de la chirurgie esthétique, il est très important de trouver un chirurgien hautement qualifié et de discuter de vos préférences et craintes. Soyez réaliste dans vos attentes: la chirurgie ne peut pas complètement arrêter la marche du temps… mais elle peut freiner certaines de ses conséquences inévitables. Votre chirurgien vous donnera des conseils concernant les préparatifs nécessaires à la procédure, par exemple contrôler votre poids, arrêter de fumer, renoncer à l'alcool ou encore prendre des doses supplémentaires de vitamine C.

463 REDRAPAGE DES CUISSES

Une perte de poids importante peut mener à l'accumulation de peau flasque autour des cuisses qu'aucun exercice ne peut raffermir. Le *lifting* des cuisses enlève l'excès de peau et de gras des parties interne et externe supérieures de la cuisse. Cette procédure laisse cependant une cicatrice visible autour de l'aine.

464 ZONES PROBLÈME

La liposuccion vise les parties du corps particulièrement affectées par l'accumulation de gras comme le ventre, les hanches et les fesses. Les techniques de liposuccion se sont considérablement améliorées et il est maintenant possible d'enlever entre 2 et 5 kg de gras et de fluides en une seule séance. Une peau munie d'une bonne élasticité donnera les meilleurs résultats.

465 BONNES PROPORTIONS

La réduction mammaire est une opération relativement simple qui peut faire une grande différence dans la vie de femmes dont les seins volumineux et lourds leur causent des douleurs au cou et au dos. Ces femmes ont souvent de la difficulté à se vêtir et peuvent ressentir une certaine insécurité à propos de leur poitrine. Une chirurgie favorise une meilleure posture et augmente la confiance en soi.

466 PAS UN REMÈDE MIRACLE

La liposuccion est très efficace pour enlever les dépôts de gras sous la peau. De plus, un regain de poids tend à affecter surtout les zones qui n'ont pas reçu de succion. Elle ne peut cependant corriger la cellulite, resserrer la peau flasque ou retirer le gras sous un muscle.

467 DES JAMBES FUSELÉES

Les nouvelles techniques de liposuccion comportent des tubes de succion plus petits qui permettent d'obtenir d'incroyables résultats sur des régions délicates comme les mollets et les chevilles. La forme de la jambe inférieure dépend du tonus musculaire et de la structure sous-jacente des os, ainsi les résultats sont souvent subtils.

468 REDRAPAGE MAMMAIRE

Avec l'âge ou à la suite d'un gain de poids important, les seins peuvent s'affaisser et perdre leur forme. Le redrapage des seins (ou *lifting* mammaire) s'effectue sans changer leur taille. Le chirurgien fait une petite incision autour du mamelon pour le repositionner plus haut et enlève la peau excédentaire.

469 REMODELAGE DES BRAS

Le lifting des bras (ou brachioplastie) permet d'enlever le surplus de peau et de gras sur la partie supérieure du bras. Une incision minuscule est effectuée sous l'aisselle, le gras est retiré du bras et la peau est étirée vers le haut sous l'aisselle. Vos bras retrouveront leur fermeté d'antan!

470 LIFTING DU BAS DU CORPS

À la suite d'une perte de poids importante, il est possible que vous vous retrouviez avec un excès de peau flasque autour des fesses et des cuisses que vous ne réussirez pas à éliminer avec de l'exercice ou des régimes. Une chirurgie peut remonter et resserrer la peau dans ces régions du corps. Les incisions seront pratiquées le plus discrètement possible. Vous devrez porter une gaine après l'opération afin de favoriser une bonne cicatrisation et le resserrement de la peau.

471 POUR UN VENTRE PLAT

L'abdominoplastie n'est pas une mesure pour contrôler le poids, mais vise plutôt à enlever l'excès de peau flasque et de gras dans la région abdominale, le plus souvent après une perte de poids importante. Le chirurgien pratique une incision dans le bas du ventre afin d'enlever la peau et le gras excédentaires. Cette procédure resserre les muscles abdominaux et donne un ventre plus ferme et plat.

472 AUGMENTATION MAMMAIRE

Avant de faire le saut, assurez-vous de discuter avec votre chirurgien de tous les aspects d'une augmentation mammaire : le type d'implant (solution saline ou silicone), la taille et la forme. L'incision peut être faite sous le bras, où elle est cachée, autour du mamelon ou sous les seins. La période de convalescence est d'environ six semaines. Toutefois la plupart des implants durent toute une vie.

473 LIPO VERSION LÉGÈRE

Il existe un nouveau traitement qui enlève les dépôts de gras dans des zones comme le menton, les genoux et les bras de façon moins invasive et plus sécuritaire que la liposuccion. Connue sous le nom « SmartLipo », la procédure consiste à insérer une fine sonde laser dans le derme afin d'augmenter la température des cellules de gras. Il s'ensuit une liquéfaction des dépôts de gras qui sera ensuite évacuée naturellement par le corps.

chirurgie esthétique du visage

474 AU DÉBUT DE LA QUARANTAINE

Dans ce groupe d'âge, les procédures de *lifting* les plus communes impliquent des cicatrices plus courtes. La cicatrice devant l'oreille est courante, mais il est également possible d'avoir une cicatrice derrière l'oreille, plus courte et moins visible.

475 LES TROIS ZONES

La chirurgie esthétique divise le visage en trois zones horizontales importantes et distinctes. La première s'étend des sourcils à la naissance des cheveux, où sont corrigés les sillons profonds du front et les sourcils tombants. La deuxième va de la paupière aux joues, où la chirurgie vise entre autres à améliorer les pattes d'oie et les poches sous les yeux. La troisième couvre le bas du visage et le cou. La plupart des *liftings* vise les zones 1 et 2, la zone 3 ne permettant que de subtils changements.

476 DISCRÉTION ASSURÉE

Il existe plusieurs types de *lifting* pour rajeunir le visage. Dans tous les cas, les incisions sont faites de façon à être discrètes. La peau des tempes, des joues et du cou sont tirées vers le haut et l'arrière, de même que la couche de tissus sous-cutanés.

477 POUR LES TRADITIONNELLES

Le *lifting* cutané est l'une des premières techniques à avoir vu le jour. Il consiste à *lifter* uniquement la couche supérieure de la peau vers le haut et l'arrière. Il en résulte une amélioration visible dans la tension de la peau, mais pas des tissus sous-cutanés du visage.

478 RÉSULTATS DURABLES

Pour des résultats plus durables, la chirurgie doit *lifter* jusqu'aux couches profondes de la peau. En enlevant, en resserrant ou en *liftant* les tissus cutanés auxquels sont attachés les muscles, il est possible de traiter les bajoues tombantes et de redéfinir le cou.

479 LIFTING MINI, RÉSULTATS MAXI

La technique « MACS-lift » est parfaite pour les cas de relâchement modéré dans le visage, mais sans replis profonds autour du cou. Le chirurgien utilise des sutures permanentes pour *lifter* et suspendre la peau et les tissus afin de rajeunir le visage en conservant une apparence naturelle. La période de convalescence est relativement rapide et la cicatrice qui en résulte est courte et située derrière l'oreille.

480 QUAND VOS GRAS DÉMÉNAGENT

La méthode « Volumetric » vise à *lifter* le visage tout en ajoutant du volume. Des cellules de gras sont prélevées ailleurs sur le corps et injectées dans le visage pour y ajouter de la rondeur et de la plénitude. Les joues peuvent aussi être repositionnées afin de reprendre leur apparence d'antan, avant que la gravité ne fasse son travail.

481 RAFRAÎCHIR LE COU

Le *lifting* du cou est habituellement pratiqué en même temps qu'un lifting facial. Il vise à éliminer les plis du cou, à resserrer la peau et à réduire l'excès de gras. Les incisions sont normalement les mêmes que celles du visage, bien qu'une petite incision sous le cou (appelée platysmaplastie) pourrait s'avérer nécessaire.

482 *LIFTING* PAUPIÈRES

Des yeux bouffis et fatigués sont souvent le résultat de deux facteurs combinés : la peau flasque et l'excès de gras. Les paupières tombantes et les poches sous les yeux peuvent être corrigées par une chirurgie des paupières (blépharoplastie) qui remodèle la paupière et traite l'excès de gras et de peau.

483 SOURCILS SANS SOUCIS

La chirurgie endoscopique est de plus en plus utilisée pour *lifter* et rajeunir la région du front et des sourcils. Avec l'âge, les sourcils s'affaissent et le front se creuse de sillons horizontaux. De nouvelles techniques permettent de faire des incisions très courtes (12 à 15 mm) et discrètes, redonnant fraîcheur et jeunesse à la zone supérieure du visage.

peelings du visage

484 RETOUR À LA SURFACE

Le resurfaçage du visage unifie le teint et améliore les défauts de pigmentation. Les techniques les plus récentes sont très efficaces et peuvent être pratiquées dans un salon esthétique durant l'heure du midi. Les résultats sont quasi miraculeux, mais la procédure est invasive et n'est pas sans risque. Assurez-vous de bien vous renseigner avant de recevoir un traitement.

485 *PEELING* LÉGER

Les *peelings* à base d'acides alpha hydroxy sont légers et n'enlèvent que la couche superficielle de la peau. Une série de traitements est habituellement recommandée, afin d'obtenir une peau plus douce et de stimuler la production de cellules et de collagène.

486 OPÉRATION PATTES D'OIE

D'intensité moyenne, le *peeling* à base d'acide trichloroacétique pénètre plus profondément dans le derme que l'acide alpha hydroxy. Il requiert une convalescence d'environ une semaine. Les rides de surface, les pattes d'oie, les cicatrices mineures et les petits grains de beauté pré-cancéreux sont tous des bons candidats pour ce traitement.

487 LA CHIMIE S'INSTALLE

Un *peeling* chimique est tout simplement une forme plus agressive d'exfoliation qui enlève la couche supérieure du derme ainsi que tous ses défauts. Le degré de profondeur du traitement et les résultats dépendent du type de solution appliqué et de la durée du traitement.

488 PLUS DOUCE…ET PLUS SENSIBLE

Un peeling léger à base d'acide glycolique contribue à améliorer l'acné adulte, à déloger les points noirs et à réduire l'apparence des petites cicatrices. Ce traitement vous laisse avec une peau plus douce et un teint plus clair, mais attention : il rend la peau plus sensible aux rayons UV, alors vous devez toujours porter un écran total non irritant.

489 *PEELING* NON CHIMIQUE

La microdermabrasion utilise une combinaison de force et de succion pour enlever une couche très fine de la peau, et ne laisse que des plaies superficielles. Un mélange de cristaux très fins d'oxyde d'aluminium et de sodium est appliqué sur la peau et les cellules mortes sont aspirées, révélant une toute nouvelle couche de peau fraîche.

490 PROBLÈMES SPÉCIFIQUES

Un traitement complet de dermabrasion faciale fait enfler le visage et laisse la peau endolorie pendant une période allant jusqu'à 12 semaines. Il est par contre très efficace pour traiter des problèmes spécifiques comme les cicatrices et les sillons profonds entre le nez et la bouche.

491 PONÇAGE MÉCANIQUE

Plus agressif que la microdermabrasion et les *peelings* chimiques, le *peeling* mécanique consiste à poncer la couche superficielle de la peau à l'aide d'une meule ou d'une petite brosse rotative. Il en résulte une peau neuve à l'aspect plus lisse, moins ridé, et une diminution de l'apparence des cicatrices et des taches de soleil.

492 LES MAINS AUSSI

Les *peelings* légers et moyens peuvent également être appliqués aux mains et à la région du cou afin de réduire l'apparence des cicatrices et des rides et de stimuler la production de nouvelles cellules cutanées.

493 *PEELING* À FORTE DOSE

Les *peelings* au phénol sont faits à base d'une solution d'acides plus concentrée et sont utilisés pour enlever l'épiderme et une grande partie du derme. Ils ont démontré des résultats excellents pour traiter les rides faciales profondes, la peau endommagée par le soleil et les excroissances cancéreuses.

494 BETA HYDROXY

Une alternative intéressante au *peeling* à base d'acide alpha hydroxy est son cousin, le peeling à base de beta hydroxy, qui a la réputation d'être moins irritant pour la peau. L'acide salicylique dont il est fait est soluble dans le gras, de telle sorte qu'il peut pénétrer dans les pores bloquées par le sébum. C'est donc un bon traitement pour la peau acnéique. Il vous laissera peut-être avec la peau qui desquame pendant quelques jours, mais vous verrez ultimement une nette amélioration de votre teint.

495 PEAU NEUVE

Un *peeling* profond est une procédure qui peut prendre plusieurs heures et devrait toujours être pratiquée en cabinet par un dermatologue hautement qualifié. À la suite de ce traitement, vous devrez porter des bandages pendant quelques jours et vous aurez la peau rouge et endolorie pendant plusieurs semaines. Mais les résultats sont spectaculaires : vous verrez une diminution importante des rides autour des yeux et de la bouche et les effets sont durables.

traitements au laser

496 AVOIR DU VISOU

Le traitement au laser est particulièrement efficace pour lisser les rides et la peau rugueuse sur trois régions spécifiques du visage : le front et l'espace entre les sourcils; la région sous les yeux jusqu'aux pattes d'oie; autour de la bouche.

497 N-LITE

Dispensé sous forme de séances de 15 minutes, le traitement au laser N-lite utilise une lumière pulsée pour réduire l'apparence des rides autour des yeux et stimuler la production de collagène dans le derme. Hormis quelques légers picotements, ce traitement est indolore et ne produit aucune rougeur. Ainsi, vous pourrez vous remaquiller et retourner au travail dès la fin de la séance.

498 LASER ABLATIF

Il existe trois types de traitements laser ablatifs pour le rajeunissement de la peau : le CO2, l'erbium (YAG) et l'erbium YAG pulsé. Votre dermatologue choisira le traitement le plus approprié pour vous, mais ils ont tous un fonctionnement semblable : l'énergie laser est dirigée sur les surfaces de peau endommagées afin de stimuler la régénération du collagène et l'émergence d'une peau neuve, lisse et fraîche.

499 FAISCEAU DE LUMIÈRE

Les traitements laser les plus récents ne détruisent pas les tissus externes car ils pénètrent sous l'épiderme afin de stimuler la production de collagène et améliorer la texture de la peau. Le processus est graduel et vous aurez besoin de plusieurs séances avant de voir des résultats.

500 CONTRE LES VARICOSITÉS

La thérapie par lumière pulsée intense permet de traiter les varicosités sur le visage. Ce traitement indolore et non-invasif dirige une lumière sur les cellules, entraînant l'effondrement et la dissolution de la veine affectée.

501 VUE INTÉRIEURE

Moins invasifs que les traitements ablatifs, les traitements laser non-ablatifs stimulent la production de collagène dans le derme et provoquent la contraction et le resserrement de la peau. Ils visent à traiter les rides de l'intérieur plutôt qu'en surface.

502 SÉCURITÉ AVANT TOUT

Le *peeling* au laser est perçu comme l'intervention la plus sécuritaire en chirurgie esthétique. Il permet de contrôler avec plus de précision la profondeur de pénétration et la localisation du traitement de certaines régions du visage comme les rides autour des lèvres et des yeux, et des cicatrices spécifiques.

503 FRACTION SOUSTRACTION

Les lasers fractionnels tels que Fraxel effectuent un resurfaçage de façon non-agressive pour une peau plus douce, lisse et tendue. À l'aide de sources de lumière, ce traitement permet de stimuler la production de collagène, d'améliorer l'apparence des ridules, des rides, des cicatrices d'acné et des taches de vieillesse. Le traitement est indolore et fait apparaître quelques rougeurs qui ne durent que deux ou trois jours.

remodelage du visage

504 LE COLLAGÈNE INJECTABLE

Traité et purifié pour le rendre semblable au collagène humain, le collagène bovin (provenant d'un troupeau bovin élevé spécifiquement pour cette raison) est le produit injectable le plus courant pour combler les rides d'expressions autour de la bouche et des yeux et pour donner du volume à des lèvres minces.

505 BAISERS SALINS

Des dermatologues sont en train de mettre au point des implants salins pour les lèvres. Ils seront insérés par le biais de minuscules incisions sur la bordure des lèvres et ensuite gonflés avec de l'eau saline. Le résultat sera des lèvres lisses et plus volumineuses.

506 SOLUTION DE RECHANGE

Le gel injectable d'acide hyaluronique donne des résultats très réussis dans les cas d'allergie au collagène ou pour une augmentation temporaire du volume des lèvres. Cette substance comporte la même structure chimique et moléculaire que les enzymes humains qui favorisent l'élasticité et l'humidification de la peau.

507 LIPOFILLING

La réinjection de graisse autologue donne du volume à la peau en utilisant des cellules adipeuses prélevées par liposuccion dans les cuisses ou l'abdomen de la personne. Elle sert entre autres à corriger les rides profondes, à atténuer les cicatrices d'acné ou à augmenter le volume des lèvres.

508 CULTIVEZ VOTRE COLLAGÈNE

L'Isolagen et l'Autologen sont des produits de comblement injectables fabriqués à partir des cellules de collagène du patient, qui ont été au préalable prélevées et mises en culture. Il n'y a aucun risque de réaction allergique et les résultats durent environ deux ans.

508 RADIOFRÉQUENCE

Un traitement à la radiofréquence est une intervention non-chirurgicale qui permet de remodeler certaines parties du visage, notamment les mâchoires tombantes. Grâce à ce traitement, la peau étirée des mâchoires se contracte et reprend de sa fermeté.

510 L'EMBARRAS DU CHOIX

La technologie du remodelage et du comblement des rides se développe à une vitesse vertigineuse. Il existe aujourd'hui toute une panoplie de produits, il n'en tient qu'à vous de choisir : naturel ou synthétique, injectable ou non-injectable, permanent ou temporaire. Ils ont tous principalement la même fonction, c'est-à-dire de redonner du volume au visage afin de le rajeunir.

511 LISSAGE NATUREL

L'implant facial Softform est un tube creux fait de matériel synthétique utilisé pour combler les rides autour de la bouche et entre les sourcils, et pour donner du volume à des lèvres vieillissantes. Inséré sous la peau, il est tenu en place notamment par la croissance des tissus naturels qui l'entourent et qui s'y attachent.

512 SUPER GEL

Fabriqué à partir d'un gel de polyacrylamide, le produit Outline comble les sillons qui se creusent entre le nez et la bouche. Composé de minuscules sphères munies d'une charge positive qui attirent comme un aimant les molécules à charge négative, il s'intègre instantanément au tissu humain. Les résultats sont immédiats et peuvent durer jusqu'à cinq ans.

513 BEAUTÉ RÉINCARNÉE

Le Dermologen est un produit injectable fabriqué à partir de tissus prélevés sur des cadavres humains. Simplement injecté dans la région à traiter, le plus souvent les lèvres et les rides entre la bouche et le nez, il ne suscite habituellement aucune réaction allergique. Ce traitement dure plus longtemps que le collagène bovin. Il faut compter plus de six mois avant que le produit ne soit entièrement absorbé par le corps.

514 COMME DES GARÇONS

Grâce à l'ingénierie médicale, on a réussi à identifier et reproduire les cellules produisant du collagène chez les garçons nouveau-nés après la circoncision. Le produit qui en résulte, CosmoDerm, peut être injecté dans la peau afin de combler les ridules et les rides.

515 NEUTRALISEZ VOS RIDES

Les injections au Botox, fabriquées à base de la toxine botulique, ont révolutionné le monde de la chirurgie esthétique. Utilisé en injections locales à faible dose, le Botox suscite une paralysie ciblée de certains muscles du visage qui ne peuvent plus faire les mêmes expressions et mouvements, ce qui a pour effet d'atténuer temporairement les rides. Le Botox est utilisé surtout pour atténuer les rides du front et entre les sourcils, de même que les pattes d'oie.

516 INJECTION DE JEUNESSE

L'Argiform, le Dermalive et l'acide polyactique sont de nouveaux produits injectables, synthétiques et sécuritaires qui ont été mis au point afin de combler les rides, les dépressions et les replis du visage qui résultent du vieillissement. Ils redonnent du volume au visage et lissent les rides causées par la perte d'humidité de la peau.

517 HEUREUX MÉLANGE

Le produit Artecoll provient d'un mélange de collagène bovin et de perles de plastique microscopiques (plus petites que le diamètre d'un cheveu humain). Il s'intègre au collagène naturel dans le corps, ce qui lui permet de rester en place. On l'utilise pour augmenter les lèvres et atténuer les rides profondes et les cicatrices faciales légères.

518 PULSIONS DE JEUNESSE

Safetox est un appareil électronique destiné à inhiber les muscles qui creusent les rides tout en activant les muscles qui ouvrent le visage et soutiennent la peau. Il est composé de patchs adhésives munies d'électrodes et fixées au front à l'aide d'un bandeau de plastique qui libère des pulsions électroniques. Cet appareil vise à redonner au visage une apparence jeune et radieuse.

519 ÊTES-VOUS DE TYPE A?

Il existe plusieurs types de toxines botuliques. La toxine de type A est la plus couramment utilisée. Elle s'attache au muscle le plus près du site d'injection, de telle sorte qu'elle ne circule pas ailleurs dans le corps, ce qui réduit les risques de dommages permanents. Les effets durent de 3 à 6 mois, selon la vitesse à laquelle le corps réussit à détruire naturellement la toxine.

520 OU DE TYPE B?

Si votre corps a une résistance naturelle à la toxine botulique ou si vous trouvez qu'elle n'est pas assez puissante pour accomplir les résultats désirés, essayez Myobloc, un produit à base de toxine botulique de type B. Composé d'une dose plus élevée, Myobloc donne des résultats plus immédiats et un peu plus durables.

521 UN BOTOX AMÉLIORÉ?

Xeomin est une nouvelle toxine botulique de deuxième génération. Elle fonctionne de la même façon que le Botox mais on croit qu'elle comporte moins de risques de réactions allergiques en raison du fait qu'elle ne contient pas les cellules de protéines étrangères fabriquées en laboratoire.

522 SOURIRE RADIEUX

Fabriqué à partir d'une substance présente dans les dents et les os humains, Radiance (connu aussi sous le nom Radiesse) fait partie de la nouvelle génération des produits de comblement injectables. Il permet de combler les sillons nasogéniens (rides du sourire) et de redonner du volume aux lèvres.

523 RESTER JEUNE

Le Restylane est fabriqué à partir d'acide hyaluronique dérivé de tissus cutanés humains. Très populaire (au-delà de trois millions d'utilisations), ce traitement redonne du volume à la peau et une apparence lisse et rajeunie au visage.

524 INFOLIFT

L'appareil informatisé Super TNS est conçu de façon à stimuler les muscles du corps et du visage. Il vise à atténuer les rides d'expression (du sourire et de froncement des sourcils) en favorisant la circulation sanguine et en améliorant l'élasticité de la peau.

règles d'or

525 VOUS N'AVEZ PLUS 18 ANS

Ne tentez pas de copier le style des adolescentes. Rien ne vieillit davantage que de porter des vêtements conçus pour des jeunes filles au teint frais et à la silhouette effilée. Évitez les tendances ado comme le jean à jambe étroite, le string apparent ou le piercing du nombril et choisissez des vêtements adaptés à votre teint et à votre silhouette.

526 SOYEZ DE VOTRE TEMPS

En vieillissant, la mode devient davantage une question de style et d'élégance que des dernières tendances. Évitez tout ce qui peut être qualifié de « mignon » ou « fifille » comme les manches bouffantes, les blouses babydoll, les mini-robes, les rubans et les froufrous.

527 UN PEU DE MODESTIE

Même si vous avez gardé la forme et que votre corps est ferme et attrayant, évitez d'exposer poitrine et jambes simultanément. Pour un *look* qui a de la classe, choisissez l'un ou l'autre, mais jamais les deux en même temps!

528 OPÉRATION GRAND MÉNAGE

Prenez la résolution d'essayer tous vos vêtements sans exception devant un miroir pleine longueur. Faites une évaluation honnête de chaque morceau. Jetez ou donnez à un organisme de charité tout ce que vous n'avez jamais porté ou que vous ne portez plus ou encore petit. Ce qui reste devrait vous faire sentir bien dans votre peau et éblouissante.

529 GARDEZ VOTRE TENTE POUR LE CAMPING

Des vêtements bien coupés et bien ajustés sont toujours préférables aux vêtements trop amples et sans forme. Ceux-ci ne font que pendre de vos sections du corps les plus larges, ne font rien pour mettre en évidence vos atouts (tout le monde en a au moins un) et vous feront paraître plus large que vous l'êtes. Évitez en tout temps les tailles élastiques.

530 AIMEZ VOS COURBES

Célébrez vos courbes féminines en portant des vêtements qui les mettent en valeur. Robes en biais, tailles ajustées et jupes crayon sont autant de styles qui flatteront votre silhouette bien davantage qu'une immense robe caftan. Les robes portefeuille sont particulièrement seyantes pour les silhouettes sinueuses.

531 PAS TROP, MAIS JUSTE ASSEZ

Portez attention à la finition de votre tenue,
mais évitez de la surcharger d'accessoires. En
cas de doute, laissez tomber tout ornement
superflu. Apprenez à moduler vos accessoires
de façon à savoir ce qui vous va bien et ce
qu'il faut ajouter pour donner un je-ne-sais-
quoi d'élégance à votre apparence.

532 SES CHEMISES À LUI

À 16 ans, les chemises de votre copain vous
donnaient un air coquin et sexy; à 36 ans,
vous aurez l'air d'une vieille fille. Les
silhouettes aux courbes sinueuses et à la
poitrine généreuse bénéficieront de vêtements
bien coupés, bien ajustés.

533 LA MODÉRATION A MEILLEUR GOÛT

Attention à la région du décolleté : elle peut,
plus que toute autre, trahir votre âge. Allez-y
doucement avec les soutiens-gorge
pigeonnants et les décolletés plongeants…
ils ne feront que mettre en évidence la peau
flasque et fanée.

534 BEAUTÉ VOILÉE

Pour un *look* sexy qui n'est pas trop
révélateur, recouvrez vos bras et votre
décolleté d'un voile de dentelle, de
mousseline ou d'organza diaphane.

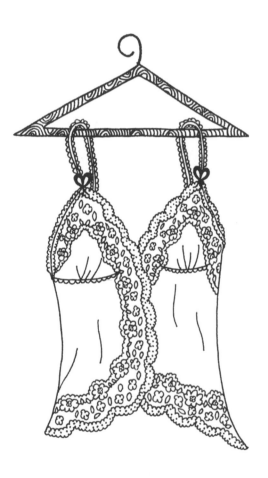

actualisez votre garde-robe

535 DIRECTION SALLES D'ESSAYAGE

Actualisez votre garde-robe à chaque saison avec quelques vêtements clés. Préparez-vous à essayer une montagne de vêtements afin de trouver ce qui vous va bien. En gardant une distance appropriée, il est possible de suivre la mode et conserver un *look* actuel et soigné.

536 LA BONNE COMBINAISON

Les boutiques visant une clientèle très jeune peuvent être des mines d'or pour trouver certains vêtements essentiels, mais évitez leurs collections dernière mode. Combinez des morceaux plus abordables et tendance avec vos classiques de haute qualité.

537 SORTEZ DU MOULE!

Une tenue dont tous les détails, de même que chaussures, sac et bijoux, sont assortis vous fera paraître âgée et démodée. Actualisez votre style en portant une veste tailleur sans la jupe ou le pantalon assortis. Optez plutôt pour un morceau dans la même palette de couleur que la veste, mais de un ou deux tons plus foncés ou plus pâles.

538 TAILLEUR PARFAIT

La veste tailleur est un grand classique qui ne se démode jamais et qui convient à presque toutes les silhouettes. Une veste bien coupée à simple boutonnage et sans ornements superflus se porte à merveille avec un pantalon, une robe ou une jupe (Mais attention : il faut choisir la bonne longueur!).

539 LE JEAN : UN ESSENTIEL

Un jean classique est un élément incontournable de toute garde-robe. Il peut être porté du matin au soir et s'adapte à toutes circonstances : il suffit simplement de changer la chaussure et la chemise! Prenez le temps de trouver un jean bien coupé et qui vous va bien. Règle générale, le jean cigarette agrémente les tailles plutôt filiformes tandis que les modèles à jambe semi-évasée sont beaucoup plus flatteurs pour la plupart des silhouettes.

540 LES FAUX CLASSIQUES

La mode change constamment, jusque dans les plus petits détails. Examinez avec attention vos vêtements plus anciens, même ceux que vous considérez des « classiques ». Avant de ressusciter un de vos vieux morceaux, portez attention à la coupe, les revers, les boutons, les poches. Trop de détails appartenant à une autre époque vous donneront l'air antique.

541 COPIE CONFORME

Oubliez les tailles 00 et la mode ado : identifiez plutôt une vedette d'âge mûr dont l'élégance vous inspire. Helen Mirren, Catherine Deneuve, Bianca Jagger...le choix est vaste ! Trouvez une icône de style dont la taille et l'âge sont semblables au vôtre, étudiez leur façon de se vêtir et copiez-la sans gêne !

542 LES ESSENTIELS

Chaque saison, procurez-vous quelques essentiels qui formeront la base de votre garde-robe. Choisissez des morceaux qui peuvent être portés seuls ou avec d'autres vêtements. Restez dans une palette de couleurs neutres comme le noir, le bleu marine et le gris.

stratégies magasinage

543 BIEN SE PRÉPARER

Maximisez vos chances de faire des bons achats. Évitez de faire du magasinage lorsque vous avez le ventre plein ou si vous vous sentez ballonnée. Portez toujours des sous-vêtements sans couture et apportez une paire de chaussures à talon haut.

544 PRENEZ VOTRE TEMPS

Ne faites pas d'achats impulsifs à moins que vous ayez trouvé quelque chose que vous cherchiez depuis longtemps et qui vous sera utile. Réservez-vous assez de temps pour parcourir les boutiques et essayer plusieurs versions des mêmes vêtements. Trouvez une salle d'essayage comportant un miroir à battants qui vous permettra de voir votre tenue sous tous les angles.

545 CHOISIR LA BONNE TAILLE

Faites une évaluation honnête et réaliste de la taille que vous habillez. Et rappelez-vous que celle-ci risque de changer tout au long de votre vie adulte. Porter des vêtements trop serrés est une erreur de style monumentale qui vous fera paraître plus grosse que vous l'êtes vraiment.

546 AUX PETITS SOINS

Utilisez des cintres en bois pour vos chemises, robes et manteaux et suspendez vos pantalons par l'ourlet avec des cintres à pinces. Des vêtements déformés par des marques de cintres en métal ne feront rien pour améliorer votre apparence ou votre estime de vous-même.

547 VUE D'ENSEMBLE

Il est beaucoup plus facile de trouver des vêtements vendus séparément que des ensembles. Mais, avant de faire un achat, demandez-vous comment votre nouveau morceau s'agencera avec le reste de votre garde-robe. Il ne sert à rien d'acheter une fabuleuse chemise en organza si vous n'avez pas le pantalon ou la jupe pour compléter l'ensemble. Privilégiez l'achat de vêtements qui s'intégreront bien à votre garde-robe existante.

548 MAGASINAGE EN SOLO

Le shopping est une activité prenante, parfois éreintante, et s'il faut en plus s'occuper d'un d'un conjoint qui s'ennuie, le résultat peut être désastreux. Même votre meilleure amie peut vous faire dévier de votre circuit… allez-y en solo et faites confiance à votre instinct.

549 VOIR JUSTE

Ne faites pas l'erreur, très courante, d'acheter des vêtements trop petits, dans l'espoir de retrouver – par magie! – la minceur et la jeunesse de vos 24 ans. Ça ne marche pas. Choisissez des vêtements de la bonne taille : celle qui vous va bien et qui met en valeur vos courbes sans les étrangler.

550 EXERCICE DE STYLE

Une nouvelle carrière, un divorce ou tout autre changement de vie important peut vous faire sentir moche. Si vous sentez que votre style stagne ou que vous doutez de ce qui vous va bien, prenez rendez-vous avec une conseillère mode dans un grand magasin.

551 ÉVENTAIL DE TAILLES

Assurez-vous que vos vêtements sont de la bonne grandeur en essayant des tailles plus petites et plus larges. Des vêtements trop larges cacheront votre silhouette et donneront l'impression que vous avez du poids en trop.

125

552 AU BANC D'ESSAI

Pour maximiser les résultats de votre séance de magasinage, entrez dans la cabine d'essayage avec une montagne de vêtements. Essayez plusieurs vêtements ensemble. Vous aurez une bien meilleure idée de cette magnifique blouse cache-cœur si vous l'essayez avec le pantalon qui l'accompagne.

553 ILLUSION DE GRANDEUR

Les grandeurs des vêtements peuvent varier d'une boutique à l'autre. Il n'existe pas de taille universelle. Ne vous fiez pas uniquement à l'étiquetage : essayez plusieurs grandeurs pour choisir la bonne.

554 PARFAITE ASYMÉTRIE

Rien n'est plus ennuyant qu'une femme parfaitement coiffée, portant une tenue griffée et symétrique… Le cerveau et les mouvements oculaires sont entraînés à sauter par-dessus les formes parfaitement symétriques. Si vous voulez faire une entrée remarquée et attirer l'attention, choisissez une tenue et des accessoires asymétriques.

555 PAS TROP RÉTRO

Sur une star, des vêtements d'une autre époque peuvent avoir l'air rétro et chic; sur Madame Tout-le-Monde, les mêmes vêtements ont souvent l'air d'un sac à patates. Mais n'abandonnez pas pour autant les friperies et les antiquaires : vous pourriez y trouver des accessoires fabuleux comme des chapeaux, des foulards de soie et des sacs à mains superbes.

556
RÈGLES DE BASE

N'achetez jamais de vêtements en solde seulement à cause de la réduction importante du prix; et n'achetez jamais de vêtements qui vous iront à perfection « quand vous aurez perdu deux ou trois kilos ». Investissez uniquement dans des vêtements qui vous vont maintenant, et dans lesquels vous vous sentez bien et en beauté.

557
CRÉATEURS DE PRÉDILECTION

Apprenez à connaître les couturiers dont les vêtements conviennent à votre silhouette et à votre style de vie. Betty Jackson, Nicole Farhi et Issey Miyake sont tous des couturiers dont les collections sophistiquées et élégantes remplissent avec succès les garde-robes des femmes de plus de 30 ans.

les dessous

558
LA BONNE TAILLE

Des études ont révélé qu'environ 80 % des femmes portent un soutien-gorge de la mauvaise taille. Un soutien-gorge doit offrir un soutien adéquat, rehausser la forme des seins tout en étant sexy. N'hésitez pas à vous faire conseiller pour choisir la bonne taille et le bon modèle.

559
AFFINER LA SILHOUETTE

L'une des parties les plus étroites du corps de la femme se situe sous les côtes, juste en dessous de la poitrine. Malheureusement, des seins tombants peuvent cacher cette partie du corps, de telle sorte que votre silhouette paraîtra plus replète et fatiguée qu'elle ne l'est réellement. Portez un soutien-gorge de bonne qualité qui soulève les seins, de façon à allonger et à affiner votre tronc.

560
CHERCHEZ DU SOUTIEN

Un seul soutien-gorge ne suffit pas. Vous avez besoin de sous-vêtements adaptés aux diverses activités de votre vie. Pour mettre en valeur votre silhouette, armez-vous de plusieurs types de soutien-gorge : sans coutures pour porter des t-shirts; sans bretelles pour vos tenues de soirée; modèle sport pour vos séances d'entraînement, et ainsi de suite. Assurez-vous qu'ils sont tous de la bonne grandeur et qu'ils offrent un soutien adéquat.

561
SECRET DE GRAND-MÈRE

Il est maintenant possible de trouver des corsets en lycra ultra confortables. Non seulement peuvent-ils aplanir et lisser les bourrelets du ventre, mais ils rehaussent également les courbes féminines en relevant la poitrine et en allongeant la taille.

562 SOUTIEN SPÉCIAL

Lorsque vous achetez un soutien-gorge, pensez aussi aux vêtements avec lesquels vous le porterez et apportez-les si nécessaire. C'est la seule façon de vous assurer que le soutien-gorge convient vraiment. Les étiquettes donnent souvent des indices quant à la fonction principale du soutien-gorge comme soutien-gorge « t-shirt » ou « plongeant ».

563 TAILLE DE GUÊPE

Essayez un grand nombre de modèles afin de trouver celui qui mettra en valeur vos atouts. Toutes les marques ont des tailles qui varient légèrement alors assurez-vous de faire des essais afin de trouver la bonne grandeur dans chacune. Un bon soutien-gorge devrait à la fois soutenir et soulever les seins, et affiner la taille.

564 TRICHEZ UN PEU!

Pour *lifter* une poitrine qui s'affaisse, essayez les coussinets en silicone. Simplement insérés dans le soutien-gorge, ces sacs de gel donnent du volume et une forme plus arrondie à la poitrine, sans bistouri!

565 DESSOUS DE CHARME

Un bon soutien est la qualité essentielle d'un soutien-gorge, mais ne négligez pas pour autant son apparence! Trouvez un modèle attrayant et joli qui vous fera sentir séduisante chaque fois que vous le portez. Le nylon beige n'a rien d'émoustillant.

566 BEAUTÉ INVISIBLE

Les sous-vêtements visibles sont à éviter en tout temps durant le jour. Si vous êtes ronde, les bretelles de votre soutien-gorge risquent de créer des bourrelets de chaque côté. Exposer délibérément un string ou des bretelles coquettes de soutien-gorge fait partie d'un style qui devrait appartenir exclusivement aux très jeunes femmes.

567 SI LA TENDANCE SE MAINTIENT

N'hésitez pas à vous procurer des sous-vêtements de maintien, qui vous feront sentir plus svelte et plus sexy grâce à un effet amincissant visant des régions spécifiques du corps. Ils sont disponibles en toutes sortes de couleurs et de modèles, des corsets aux cuissardes, qui réussiront tous à lisser votre silhouette tout en rehaussant vos courbes.

568 GARE AUX EXCÈS!

Résistez à la tentation de porter un soutien-gorge trop petit, pensant qu'il aura un effet *push-up* et vous donnera un décolleté invitant. Évitez également de porter une culotte trop petite, dans l'espoir qu'elle aura un effet amincissant et sexy. Au contraire, des dessous trop petits créent des bourrelets disgracieux qui seraient autrement inexistants ou discrètement dissimulés.

569 COLLANTS AMINCISSANTS

Recherchez des collants de contention ultra-diaphanes. Ils contiennent une concentration élevée de fibres élastiques qui « soulèvent » la jambe et le genou. En exerçant une compression, ces collants affinent la jambe et allongent la silhouette.

570 RONDE ET SEXY

Il existe toute une variété de dessous sexy, à vous de trouver le modèle qui vous convient le mieux! Mais attention, si vous avez les fesses plus rondes, évitez de les surexposer dans un g-string. Optez plutôt pour un short rétro en tissu extensible. Faits de dentelle lycra ou de tulle diaphane, ces modèles sont particulièrement flatteurs pour les silhouettes rondes.

571 CULOTTE MAGIQUE

Pour une silhouette plus mince, essayez une gaine culotte qui raffermira instantanément fesses, cuisses et ventre. Faite d'un tissu extensible très ferme contenant de l'élastane, du lycra et du polyamide, ces dessous ultra-confortables sont conçus dans le but de lisser tous les petits bourrelets indésirables.

572 SANS DESSUS DESSOUS

Une apparence soignée commence avec des dessous de qualité. Pour vous sentir sexy et bien dans votre peau, choisissez des dessous de la bonne taille et d'un style qui s'agencera à votre tenue.

573 LA BONNE MÉTHODE

Plusieurs femmes agrafent leur soutien-gorge à l'avant puis le retournent vers l'arrière. Mais la façon dont vous enfilez votre soutien-gorge peut avoir un impact sur votre apparence. Placez les bonnets sous votre poitrine et penchez-vous vers l'avant afin de laisser tomber chaque sein dans son bonnet; attachez ensuite les agrafes à l'arrière et ajustez les bretelles sur vos épaules. De cette façon, votre soutien-gorge sera parfaitement ajusté.

pantalons

574 OUSTE LES CARGOS!

Les pantalons de combat très amples ornés d'énormes poches cargo sur les côtés ne font qu'ajouter des centimètres à vos cuisses et à vos hanches. À moins d'avoir la silhouette d'une top-modèle, faites-en don à un organisme de charité.

575 SHORT DE CITADINE

Si vous optez pour le bermuda de ville en guise d'alternative à la jupe durant l'été, vous devez respecter certaines règles. Sauf à la plage, les shorts doivent toujours arriver au genou, jamais au-dessus. Vos jambes doivent être impeccables (bronzées et épilées). Vous devez porter des chaussures munies d'un petit talon étroit ou compensé.

576 SUBIR UN REVERS

Les pantalons à revers et les jeans roulés font paraître les jambes plus courtes. Les revers attirent le regard vers le bas et mettent en évidence des jambes trop courtes. Les pantalons capri et gaucho sont aussi à éviter, à moins que vous ayez de longues jambes de gazelle.

577 PENSEZ TAILLE BASSE

Choisissez des jeans et des pantalons à taille basse, entre les hanches et la taille. Les pantalons à taille haute qui compriment le ventre ne feront qu'accentuer une taille épaissie par l'âge. Ils désavantagent même les silhouettes plus minces en créant des bourrelets.

578 LES MOTIFS DU CRIME

Règle générale, les imprimés, les motifs, les carreaux et les rayures sont à éviter : ils ne font qu'amplifier la corpulence des cuisses, des fesses et des hanches. Choisissez un pantalon de couleur unie ou à fines rayures. Ne portez jamais un jean orné de petits diamants, de paillettes, de franges ou de broderie : laissez ce style à Dolly Parton en vedette à Las Vegas.

579 ALLONGEZ LA JAMBE

Ajoutez un peu de longueur à votre jambe en portant un pantalon dont l'ourlet recouvre le haut de la chaussure et effleure le plancher.

580 FESSES EN POIRE

Portez toujours un pantalon bien coupé, qui n'est pas trop serré. Les pantalons à taille basse contribuent à définir la taille et à rapetisser le derrière.

581 TRAÎTRE LÉGÈRETÉ

Si vous avez les fesses et les hanches larges qui vous donnent une silhouette classique en forme de poire, portez des pantalons bien coupés dans un tissu assez lourd et de bonne qualité. Les cotons légers et les étoffes de piètre qualité trahiront chaque petit bourrelet et mettront en évidence certains problèmes comme la cellulite.

582 DÉGONFLEZ VOTRE PNEU

Un grand nombre de femmes atteignent l'âge mûr avec un ventre épaissi par le temps. Si c'est votre cas, vous pouvez quand même porter avec élégance un pantalon en choisissant un modèle plat sur le devant et qui s'attache avec une fermeture éclair sur le côté. Vous éviterez ainsi d'ajouter inutilement du volume à votre ventre.

583 LE DENIM IDÉAL

Recherchez un denim de bonne qualité et légèrement extensible. Un denim plus épais offre du support aux contours de la silhouette et fait paraître les jambes plus minces.

jupes et robes

584 BYE-BYE MINI-JUPE

Si vous désirez masquer des formes un peu trop généreuses autour du ventre et des hanches, gardez la longueur de vos jupes en-dessous du genou ou à mi-mollet. Les jupes courtes tendent à rapetisser et à épaissir la silhouette tandis que les jupes plus longues attirent le regard vers le bas et allongent la silhouette.

585 TIREZ PROFIT DE VOTRE JUPE!

Si vous avez de charmants mollets et de séduisantes chevilles, mettez-les en valeur avec une jupe cigarette. Si vous n'aimez pas vos genoux, n'hésitez pas à les recouvrir avec un modèle qui va jusqu'aux mollets.

586 BIEN ENROBÉE

Identifiez vos atouts et choisissez une robe qui les mettra en valeur. De belles courbes méritent d'être accentuées avec une robe qui les étreint subtilement. Et si vous avez une poitrine fabuleuse, optez pour une robe ornée à l'avant de petits boutons qui attireront le regard.

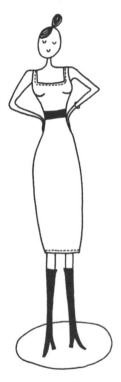

587 NON AUX FRONCES

Si vous êtes ronde et que vos kilos en trop tendent à s'accumuler autour de la taille, portez des jupes étroites. Une taille élastique ou garnie de plis ajoutera inutilement du volume à votre ventre.

588 DANS DE BEAUX DRAPÉS

Les blouses et les robes portefeuille sont fantastiques pour définir et séparer les poitrines fortes, mais vous devez portez un soutien-gorge de la bonne taille et offrant un bon soutien. Une robe portefeuille permet également d'accentuer une taille charmante.

589 AUTOUR DE LA TAILLE

Un ventre bien rond bénéficiera d'une robe dont la jupe est drapée autour de la taille et attachée sur le côté. La robe peut ainsi être ajustée à la perfection sans se froisser ou gondoler.

590 TROMPE-L'ŒIL

Si vous désirez minimiser l'apparence de hanches volumineuses ou de culotte de cheval, optez pour une jupe évasée dont la ligne de l'ourlet est inégale. Vous attirerez ainsi l'attention vers le bas plutôt qu'à la hauteur des hanches et des cuisses.

591 CHIC, LE CARDIGAN

Un cardigan court est un complément parfait à la robe bustier ou à fines bretelles, et couvre discrètement les bras flasques. Les modèles aux manches trois quart sont particulièrement flatteurs.

hauts et tricots

584 SOYEZ BIEN ÉPAULÉE

Si vous avez le dos arrondi et les épaules affalées, procurez-vous de petites épaulettes que vous pouvez insérer sous vos vêtements. Elles donnent aux épaules une apparence plus carrée et rééquilibrent les silhouettes aux hanches larges.

585 CACHEZ CE SEIN

Si votre décolleté est un peu trop ridé ou fripé, évitez les encolures plongeantes qui exposent une large étendue de peau. La forme incurvée et plongeante risque également d'accentuer une poitrine devenue lourde et tombante.

586 BRAS DE FER

Même si vous vous entraînez et que vos biceps et triceps pourraient faire concurrence à Madonna, gardez vos camisoles à bretelle spaghetti pour la salle de gym. Une encolure plongeante et des bras nus exposent un peu trop la peau. Essayez plutôt un voilage diaphane qui laisse subtilement entrevoir la peau nue sans l'exposer au grand jour.

592 VUE DE DOS

Au lieu d'exposer une gorge flétrie par le temps, optez pour une robe munie d'un collet montant et d'un magnifique dos plongeant. La peau du dos vieillit moins rapidement et reste belle et lisse plus longtemps.

593 JUPE EN A

Si vous avez le derrière plutôt large, évitez les tendances gonflantes comme la jupe tulipe ou la jupe ballon. Privilégiez les jupes trapèze qui sont idéales pour votre type de silhouette.

597 EN BATEAU!

Si vous avez les fesses et les hanches plutôt larges, optez pour un col bateau. Il crée une impression de largeur dans le haut du corps et permet ainsi de mieux équilibrer la silhouette.

598 TRICOT SEXY

Les femmes aux courbes généreuses doivent choisir leurs tricots avec attention. Privilégiez les mailles fines aux tricots lourds et volumineux qui ajouteront une épaisseur supplémentaire à votre silhouette. Préférez les encolures en « V » aux cols polo qui rapetissent le cou et la gorge.

599 PLUS D'UN TOUR DANS LA MANCHE

Privilégiez les manches trois quart qui vous permettront de camoufler vos bras flasques tout en exhibant vos poignets élégants et vos mains soignées.

600 CONSEIL D'ABEILLE

Essayez une blouse ruchée ou froncée, munie à l'avant d'une fermeture éclair ou de boutons qui formeront une encolure en « V » tout en gardant une forme légère et souple. Les ruches légères camouflent subtilement les petits replis de chair tandis que l'encolure en V allonge la silhouette.

601 DOS À DOS

Si vous avez de magnifiques épaules et des bras fermes, optez pour un corsage bain-de-soleil (soutenu par un soutien-gorge bain-de-soleil bien ajusté). Un dos exposé est tout aussi sexy qu'une poitrine bien en vue.

602 LE «V» DANS RAVISSANTE

Une poitrine généreuse sera mise en valeur par une encolure en «V» très large qui coupe à travers les épaules. Ce type d'encolure soulève et sépare les seins, tout en attirant l'attention vers le visage et le cou.

vestes et manteaux

603 QUESTION D'ÉQUILIBRE

Si vous désirez minimiser certains de vos défauts, attirez l'attention ailleurs. Hanches larges et gros derrière? Évitez les vestes boléro qui s'arrêtent à la taille et optez pour un modèle plus long qui va jusqu'à la mi-cuisse pour couvrir la région problème. Il faut toujours penser à équilibrer la silhouette.

604 UNE RÈGLE SIMPLE

Le temps et la gravité ont fait leur boulot et votre taille s'est épaissie : il est temps de dire adieu aux vestes à double boutonnage. Choisissez toujours des modèles à boutonnage simple afin d'éviter d'élargir davantage la taille.

605 LE MANTEAU LONG

Un superbe manteau se porte avec n'importe quoi et a toujours l'air élégant. Si vous êtes assez grande pour réussir ce *look*, essayez un manteau pleine longueur. L'effet est souvent spectaculaire et il se porte aussi bien avec un jean et des bottes plates qu'avec une robe de soirée et des escarpins. Mais attention, si vous êtes plutôt petite, un manteau long vous fera paraître encore moins grande.

606 UN VETO CONTRE MAO

Si vous avez les épaules larges et la poitrine forte, choisissez des vestes et des manteaux munis d'une encolure et de revers en «V». Les cols mao et les boutons qui montent jusqu'au cou feront paraître votre silhouette imposante et carrée.

607 CRÉEZ DES COURBES

Si le vieillissement vous a donné un torse plutôt carré, tentez de créer l'illusion de courbes féminines à l'aide d'une veste basque ou évasée, bien cintrée à la taille.

608 LE MANTEAU GAGNANT

Le manteau le plus polyvalent est sans doute le modèle trois quart, qui tombe juste au-dessus du genou. Il convient à presque toutes les silhouettes et se porte avec presque n'importe quoi…et couvre presque tous les défauts!

choix de couleurs

609 LA BONNE PALETTE

La couleur de la peau, des cheveux et des yeux change et tend à s'estomper avec l'âge. Vous devrez donc réévaluer votre palette de couleurs au fil des saisons. Placez des étoffes de couleurs différentes près de votre visage à la lumière du jour afin de bien reconnaître les couleurs qui vous vont le mieux. Évitez celles qui vous font paraître terne et fatiguée.

610 LE COLLANT NOIR

Peu importe la mode du jour, vous ne pouvez vous tromper en portant des collants opaques noirs. Ils amincissent et allongent la jambe et se portent avec un grand nombre de styles et de tenues.

611 METTEZ L'ACCENT SUR VOS ATOUTS

Utilisez des couleurs vives et des motifs pour attirer l'attention sur les parties de votre corps que vous désirez mettre en valeur. Quant aux couleurs foncées et unies, elles camouflent les défauts et n'attirent pas le regard.

612 LA VÉRITÉ SUR LE NOIR

Tout le monde le sait : le noir a un effet amincissant. Mais rappelez-vous qu'il peut aussi faire paraître le visage terne et fatigué. Si vous aimez les couleurs foncées, essayez le bleu marine ou le brun, plus flatteurs pour les teints mûrs.

613 LES DANGERS DU NOIR

Évitez de vous habiller de la tête aux pieds en noir : l'effet n'est pas élégant et mystérieux, mais vieillissant, terne et funèbre. Évitez aussi de combiner du noir avec des couleurs fluo : le résultat est souvent vulgaire et bas de gamme.

614 JEU DE TEXTURES

Si vous voulez minimiser certains de vos défauts, comme une poitrine lourde ou des cuisses dodues, habillez-les de couleurs foncées et mattes. Des couleurs brillantes refléteraient la lumière et les feraient paraître plus volumineuses qu'elles le sont vraiment.

615 ÉGAYEZ VOTRE TENUE

Oubliez les diktats de la mode et ajoutez un peu de couleur à votre garde-robe. Ne vous obligez pas à porter jour après jour des couleurs neutres et sombres : elles finiront par déteindre sur votre humeur. Remontez-vous le moral avec des touches joyeuses de fuchsia!

616 ILLUSION VERTICALE

Essayez ce petit truc pour amincir et allonger votre silhouette : ne portez qu'une seule couleur sur le bas de votre corps. Une chaussure et un pantalon bruns sont visuellement homogènes tandis qu'un pantalon noir porté avec une botte beige coupe la jambe à la hauteur des chevilles et attire l'attention sur cette rupture.

617 FILETS MIGNONS

Si vous avez des jambes fabuleuses, osez le bas résille! Misez sur un modèle classique, de couleur noire, à mailles fines. Évitez les modèles à mailles larges, à moins que vous ayez récemment amorcé une carrière d'effeuilleuse.

618 DENIM FONCÉ

Il existe un jean idéal pour tous les types de silhouette : il suffit seulement d'en essayer plusieurs tailles et modèles différents. À éviter : les denims pâles et délavés; choisissez plutôt un denim bleu foncé ou noir.

619 POUR NE PAS RIRE JAUNE

Si vous avez la peau blanche, faites attention à tous les tons de jaune, de la douce primevère au jaune banane éclatant. En vieillissant, la peau blanche, peu importe sa carnation, perd de sa couleur. Le jaune fait ressortir cette pâleur délavée et est donc à éviter. Les peaux noires, cependant, peuvent continuer à porter avec succès des couleurs vives, même à l'âge mûr.

620 CRÈME FRAÎCHE

Le blanc éclatant est à éviter, surtout lorsqu'il est porté de la tête aux pieds. Évitez également le jean blanc, à moins que vous le portiez en été avec une tunique cafetan vaporeuse. Les femmes d'un certain âge découvrent souvent que les tons de crème sont beaucoup plus flatteurs que le blanc pur, et demeurent tout aussi élégants.

621 ÉLÉGANCE MARINE

Adoptez le bleu foncé comme solution de rechange au noir. Tous les tons de bleu foncé sont superbes et chics, des marines aux teintes d'azur profond. Le bleu est une couleur douce, donc plus tendre envers les peaux matures qui ont perdu de leur lustre.

le secret est dans l'étoffe

622 JERSEY OUI; SERRÉ NON

Les tissus qui moulent les courbes du corps comme les jerseys de soie ou de coton sont parfaits pour accentuer les silhouettes féminines, en autant que l'étreinte soit légère et subtile…pas trop serrée!

623 PELURES D'OIGNON

Si votre corps a commencé à perdre la bataille avec la gravité, évitez de superposer plusieurs couches de vêtements. La combinaison de différents motifs et textures tend à rapetisser et grossir la silhouette. Évitez surtout les tenues arborant plusieurs couches et motifs horizontaux.

624 DÉFINIR LA TAILLE

Si votre silhouette demeure svelte mais un peu moins définie qu'auparavant, optez pour des vêtements légèrement cintrés à la taille et tombant à la hauteur des hanches ou des cuisses. Un chemisier rentré dans un pantalon bouclé à la taille par une ceinture serrée donnera l'effet contraire de ce que vous recherchez.

625 COUP DOUBLE

Le plus souvent possible, choisissez des jupes et des pantalons entièrement doublés. La doublure aide à créer une silhouette aux lignes bien lisses.

626 MÉLANGE DE LIN

Pour la saison estivale, investissez dans un ensemble tailleur en lin. Mais optez pour un mélange lin et soie plutôt qu'un tissu 100 % lin. Ce mélange vous procure tout le confort et l'élégance du lin, mais ne se froisse pas aussi facilement.

627 FIBRES NATURELLES

Si vous avez tendance à transpirer beaucoup, choisissez des tissus de fibres naturelles comme le coton, la soie et la rayonne. Évitez les tissus synthétiques qui ne respirent pas comme le nylon et le polyester.

628 CHOISISSEZ VOS MOTIFS

Apprenez à reconnaître les types de motifs qui conviennent à votre silhouette. Les motifs larges et criards sont à éviter si vous êtes plutôt petite et menue. Inversement, évitez les motifs minuscules et délicats si vous avez la taille plus forte.

629 LE LUXE DU CACHEMIRE

Le cachemire est le nec plus ultra du confort et de l'élégance. Il est de surcroît plus doux, plus chaud et plus léger que toute autre fibre naturelle. Si vous en avez les moyens, optez pour du cachemire au lieu de la laine de mouton durant la saison hivernale : il possède des propriétés isolantes extraordinaires.

chaussures

630 LE TALON IDÉAL

Identifiez le type de talon qui convient le mieux à votre forme de jambe. Si vous avez les chevilles étroites et les mollets bien galbés, optez pour un talon étroit et fuselé qui reflètera vos atouts. Les mollets plus larges bénéficieront d'un talon plus solide et droit.

631 SECRET DE CENDRILLON

Si vous prévoyez passer une longue et festive soirée sur la piste de danse, insérez au préalable des semelles en silicone tout confort dans vos escarpins : vous réduirez de façon spectaculaire la torture résultant de toutes ces heures passées en talons hauts.

632 BOTTES SEXY

Si vous aimez porter des bottes longues avec un jean ou des jupes à hauteur des genoux, choisissez un modèle simple de couleur brun foncé ou noire. Des bottes biens choisies peuvent amincir les mollets et allonger la jambe.

633 UN BON INVESTISSEMENT

Des chaussures ou des bottes de bonne qualité en disent long sur votre personnalité et sont la clé d'une apparence soignée. Il vaut mieux posséder une seule paire de chaussures authentiquement chic et une paire de bottes fabuleuses que plusieurs dizaines de vieilles chaussures démodées qui ont vu de meilleurs jours. Un petit truc pour garder vos chaussures en condition impec: gardez-les dans des boîtes fermées et étiquetées à l'aide d'une photo Polaroïd.

634 CHAUSSURES TENDANCE

Cessez de porter la même vieille paire de chaussures noires avec toutes vos tenues. Même si vos portez des vêtements dernier cri, vos chaussures démodées auront tôt fait de défraîchir l'ensemble. Rappelez-vous que la mode des chaussures change rapidement d'une saison à l'autre. Portez attention à la forme du talon et de la pointe. Achetez au moins deux nouvelles paires de chaussures tous les six mois.

635 COMPENSEZ AVEC UN TALON

Si vous êtes plutôt petite, portez des talons compensés plutôt que des stilettos vertigineux. Ils vous donneront un peu plus de hauteur, mais avec de la stabilité. Ils seront beaucoup plus confortables lorsque vous devrez parcourir de longues distances ou passer de longues heures debout.

636 MARCHEZ EN TOUTE CONFIANCE

Des talons trop hauts entravent la démarche et sont donc un obstacle à une plus grande confiance en soi. Des talons plus courts amélioreront votre démarche et vous éviteront de vous inquiéter à propos de chutes et de chevilles tordues!

637 POUR LES PETITES

Si vous avez les jambes plutôt courtes, choisissez des chaussures à bout ouvert pour révéler le plus de pied possible. Rappelez-vous que les rubans, les lacets et les courroies à la hauteur des chevilles tendent à rapetisser la jambe.

638 LE TALON MOYEN

Une bonne chaussure peut aider à allonger et à amincir la silhouette tout en améliorant la posture. Mais attention à la taille des talons : les chaussures plates donnent parfois l'air lourdaud tandis que les stilettos font tituber. Choisissez des talons de taille moyenne; ils feront des miracles pour votre posture et votre apparence.

occasions spéciales

639 MER ET MODE

Plusieurs fabricants de maillots de bain créent aussi d'élégantes collections croisière et de vêtements de plage pour femmes aisées. Ces collections offrent souvent un meilleur soutien et des tenues plus sobres que celles visant une clientèle plus jeune, tout en restant chic et tendance. Inspirez-vous des défilés haute couture pour trouver des idées.

640 TRANSPIRER LE BONHEUR

Si vous appréhendez la saison estivale en raison d'un problème de transpiration, procurez-vous des coussinets anti-transpiration. Insérés sous les bras, ils absorbent efficacement la transpiration et empêchent l'humidité de traverser les vêtements.

641 MAILLOT MERVEILLEUX

Si vous voulez atténuer l'apparence de hanches larges, optez pour un maillot de bain sans bretelles qui portera le regard davantage vers le haut du corps.

642 UN VENT DE CHANGEMENT

Votre corps a changé avec les années et il est peut-être temps de réexaminer votre garde-robe de vacances. Essayez tous vos vêtements de plage sous une lumière qui ne pardonne pas. Vous déciderez peut-être qu'il est temps de remplacer votre bikini en faveur d'un maillot une pièce bien coupé qui mettra en valeur votre poitrine tout en contenant votre ventre.

643 SOLUTION SARONG

Mettez dans votre valise plusieurs modèles de sarong et de tuniques cafetans lorsque vous partez en voyage. Ils protègent du soleil tout en offrant une solution facile pour dissimuler certaines régions problèmes.

644 UN BON SOUTIEN

Trouver le bon maillot demande de l'effort et de la volonté car vous devrez essayer un grand nombre de styles différents. Si votre poitrine requiert un bon soutien, optez pour un tissu d'une épaisseur moyenne et hautement extensible, de même que des bonnets cachés aptes à bien soulever et séparer les seins.

645 DEUXIÈME CHANCE

C'est votre second mariage et vous voulez porter une robe blanche? Allez-y! Les règles anciennes ne s'appliquent plus; de nos jours, tous les styles et couleurs sont permis. Les mariées d'âge mûr doivent cependant viser une élégance raffinée, à l'image d'une Jackie Onassis qui portait robe et veste assorties. Évitez les tenues trop provocantes ou encore les robes trop formelles et collet-monté qui vous feront paraître archaïque et dépassée.

646 BELLES-MAMANS

Une règle qui s'applique encore concerne la tenue des mères des mariés. Ni l'une ni l'autre ne doit porter une robe dont la couleur s'apparente à celle de la mariée. Choisissez une tenue élégante et empreinte de dignité. Optez pour un ensemble coupé dans une étoffe luxueuse, mais évitez les imprimés tape-à-l'œil et tout ce qui est trop tapageur, brillant ou provocant.

bijoux

647 COLLIERS EN V

Les femmes d'âge mûr devraient éviter de porter des colliers ras du cou qui attirent l'attention sur cette région du corps. Optez plutôt pour des pendentifs qui forment un « V » et dirigent le regard vers le haut.

648 PETIT LUXES ABORDABLES

La plupart des grands magasins offrent une vaste sélection de bijoux à bon prix. Ces petits bijoux à la mode peuvent faire des merveilles pour actualiser votre *look*, ajouter une touche de couleur et donner une allure jeune et contemporaine à une garde-robe autrement classique.

649 LA PERLE RARE

Quoique classique, le collier de perles à rang unique évoquera toujours quelque chose de la veuve ou de la reine-mère. Si vous aimez les perles mais qu'elles vous font sentir ancestrale, faites comme Coco Chanel et portez plusieurs rangées de perles à la fois. Ou encore essayez un collier de grosses (et fausses) perles de grande qualité pour un *look* plus moderne. Les perles donnent une luminescence magnifique à la peau.

650 BIJOUX MODE

Un grand choix d'articles de fantaisie s'offrent à vous et feront des miracles pour actualiser votre *look*, si vous savez choisir parmi les dernières tendances. Quelques rangées de grosses perles à la mode peuvent transformer une tenue des plus ordinaires en *look* très actuel.

651 ATTENTION À LA POITRINE

Si la taille de votre poitrine vous dérange, évitez de porter de longs colliers qui la mettent en évidence en trônant entre les deux seins, ou, pire, en s'enroulant autour, de telle sorte qu'il faille constamment le réajuster.

652 BIJOUX CAMOUFLAGE

Des bijoux bien choisis pourraient vous aider à camoufler certains de vos défauts. Si vous avez le cou large et court, évitez les colliers ras du cou et serrés et optez pour des pendentifs portés avec une encolure en « V ». Ne portez surtout pas de colliers ronds avec une encolure arrondie : vous ne ferez que répéter et mettre en évidence la ligne tombante de la poitrine.

653 LONGS PENDENTIFS

Si vous avez un double menton ou le visage très rond, portez des boucles d'oreilles pendentif qui aideront à créer une illusion de longueur. Évitez cependant de porter des boucles d'oreilles trop lourdes durant de longues périodes. Votre peau ayant perdu de son élasticité avec l'âge, vos lobes d'oreilles risquent de s'étirer.

654 RAZZIA CHEZ GRAND-MAMAN

Faites le tour des antiquaires pour dénicher des bijoux uniques qui ajouteront une touche originale à vos tenues. Consultez des magazines de mode pour savoir comment les porter. Une broche de fantaisie épinglée au revers d'un manteau donnera du raffinement à votre apparence.

accessoires

655 LE TRUC DU LONG FOULARD

Si votre ventre a pris de l'expansion et que vous désirez le camoufler, portez une veste bien ajustée et ouverte à l'avant, boutons en parallèle, accompagnée d'une longue écharpe tombant au milieu. Une façon simple et élégante de masquer un ventre un peu trop arrondi.

656 CHIC PARISIEN

Un cou ridé et flasque trahira instantanément votre âge, même si votre visage est soigné et maquillé à la perfection. Optez pour l'élégance d'un foulard de soie, que vous pouvez nouer d'une multitude de façons charmantes afin de couvrir votre cou.

657 LUNETTES EN VEDETTE

Gardez en tout temps des lunettes de soleil dans votre sac à main, même en hiver. Durant la saison froide, les rayons du soleil (surtout s'ils sont reflétés par la neige) vous feront constamment plisser les yeux. Vos lunettes pourront de surcroît vous donner un *look* de star tout en dissimulant des yeux bouffis et fatigués.

658 TOUR DE TAILLE

Si vous avez la taille très fine, mettez-la en valeur avec une ceinture large. Une ceinture large à taille basse peut également aider à camoufler un ventre rebondi.

659 SOPHISTIQUÉE COMME AUDREY

Pour couvrir des bras inesthétiques, optez pour l'élégance ultime des longs gants à la Audrey Hepburn dans *Petit Déjeuner chez Tiffany*. Choisissez un modèle contenant du lycra (plutôt que 100 % coton) qui vous donnera le soutien nécessaire et vous permettra de porter quelques grosses bagues.

660 BOUCLEZ VOTRE CEINTURE

Une ceinture diamantée ou parsemée d'ornements attirera l'attention, mais assurez-vous de la porter au bon endroit. À moins d'avoir des abdos d'enfer, choisissez un style taille basse. Une ceinture portée au milieu coupera votre silhouette en deux et vous fera paraître plus petite et trapue. Évitez aussi de porter simultanément une ceinture décorative et un collier pour ne pas avoir l'air surchargée.

661 L'AFFAIRE EST DANS LE SAC

Nul besoin de changer toute sa garde-robe pour être à la mode quand un seul accessoire tendance peut faire toute la différence. Envoyez votre vieux sac à main chez l'antiquaire et procurez-vous un modèle dernier cri. Un sac appartenant à une autre époque vous fera paraître démodée.

662 PLUS D'UN TOUR DANS SON SAC

Ne vous limitez pas à un seul sac à main tout usage. Chaque type et taille de sac à main a sa fonction. Pour vos grandes soirées, optez pour un charmant petit sac à la texture et d'une couleur plus originales que votre sac de jour. Et surtout ne le remplissez pas au point de le déformer.

principes de base

663 DES EFFORTS SOUTENUS

Personne n'y échappe : chaque décennie, le métabolisme se fait plus lent et les muscles s'atrophient. Pour maintenir votre poids et votre forme physique, vous devrez intensifier votre routine d'exercices et manger des portions plus petites de nourriture. Rappelez-vous que 500 grammes de gras équivalent à 3500 calories. Si vous avez tendance à prendre du poids facilement, révisez sérieusement votre alimentation et votre régime d'exercice.

664 TONIFIEZ VOTRE PLANCHER

Après un accouchement ou la ménopause, il est possible que les muscles du plancher pelvien se relâchent, causant des fuites lorsque vous toussez, riez ou courez. Prenez l'habitude de faire des exercices pour raffermir ce groupe de muscles. Vous pouvez pratiquer les exercices de Kegel (contraction et décontraction des muscles vaginaux) ou encore vous procurer un appareil conçu spécifiquement à cet effet.

665 UN CERVEAU EN FORME

La pratique régulière d'exercices modérés peut contribuer à prévenir certains des processus liés au vieillissement. L'exercice augmente l'apport sanguin au cerveau (ce qui peut réduire le risque d'attaque cardiaque), améliore certains processus cognitifs et ralentit la dégénérescence du système nerveux. N'envisagez pas l'exercice comme une punition à court-terme, mais plutôt comme une partie intégrante de vos habitudes de vie. Après quelques semaines, vous ne pourrez plus vous en passer. Commencez tôt et vos bonnes habitudes vous suivront jusqu'à vos vieux jours.

666 LES HORMONES ET L'ESPÉRANCE DE VIE

L'exercice stimule plusieurs hormones utiles au maintien du niveau d'énergie, du taux métabolique et des fonctions corporelles. L'exercice stimule entre autres l'hormone de croissance humaine et certaines études ont démontré qu'une augmentation de l'hormone de croissance humaine, de la testostérone et des endorphines peut augmenter l'espérance de vie et renverser le processus du vieillissement.

667 LES BÉNÉFICES D'UNE PERTE DE POIDS

Peu importe votre poids, même une légère perte de poids peut engendrer des effets immensément bénéfiques. Une perte de poids de seulement 5 à 10 % peut diminuer la tension artérielle, les risques de diabète et de maladies du cœur et le mauvais cholestérol. Il existe une corrélation entre un poids moins élevé et une espérance de vie plus longue. Enfin, une perte de graisse et le raffermissement des muscles amélioreront à la fois votre posture, votre niveau d'énergie et votre apparence générale.

668 UNE LONGUE VIE EN SANTÉ

Selon une récente étude de l'*American Journal of Sports Medicine*, la plus grande menace à la santé ne vient pas du vieillissement lui-même, mais de l'inertie qui l'accompagne. La pratique d'un régime d'exercice modéré a été associée avec un ralentissement des processus du vieillissement et avec une plus longue espérance de vie, même lorsque commencée plus tard dans la vie. En effet, l'étude démontre clairement qu'une routine de 30 minutes d'exercice intense par jour est associée à une augmentation de l'espérance de vie. Plusieurs autres études ont démontré une corrélation entre l'exercice et une réduction de 30 % du risque du cancer du colon.

669 IL FAUT QUE ÇA BRÛLE!

Pour qu'un exercice soit réellement bénéfique,
vous devez augmenter votre rythme cardiaque,
afin d'améliorer la circulation sanguine et le
métabolisme. La transpiration est également
favorable car elle encourage la production de
sébum, un hydratant naturel pour la peau.

exercices aérobiques

670 CE SOIR, ON DANSE

On n'est jamais trop vieux ou vieille pour se déchaîner sur la piste de danse! La danse est un exercice fantastique pour rester souple et se compare, en termes d'aérobie, à 5 km de jogging ou une folle nuit de passion.

671 AU PAS, CAMARADE!

La simple marche comporte des avantages significatifs pour le maintien d'un poids santé et la santé du cœur. La marche rapide augmente le taux métabolique et s'avère suffisamment aérobique pour donner une belle couleur rosée aux joues. Procurez-vous un pédomètre (qui pourra à la fois compter vos pas et mesurer votre taux de graisse corporelle) et visez à faire au minimum 10 000 pas par jour.

672 ATTÉNUER LES VARICOSITÉS

Environ 40 % des femmes souffrent de varicosités disgracieuses. La pratique régulière d'exercices aérobiques (plusieurs fois par semaine) fait travailler les muscles et stimule la circulation sanguine, ce qui rend les varicosités moins apparentes.

673 AÉROBIE ANTI-CELLULITE

Peu d'athlètes féminines souffrent de cellulite car l'exercice remplace la graisse corporelle par du muscle, et empêche les cellules de gras d'être bloquées par des toxines. Le jogging, la natation, le vélo et la marche sont d'excellentes façons d'améliorer la circulation sanguine et de favoriser l'élimination des toxines.

674 EN MEILLEURE SANTÉ

L'exercice aérobique comporte un grand nombre d'avantages qui contribuent à maintenir les fonctions corporelles jeunes et en santé: il stimule la circulation sanguine, favorise la santé du cœur, des artères et des veines, améliore l'humeur et active la fonction cérébrale. Ces effets bénéfiques permettent de mieux dormir et de mieux digérer, procurent une meilleure immunité contre les maladies et améliorent l'apparence de la peau et de la silhouette.

675 JEU D'ENFANT

Jeu de prédilection des enfants, le saut à la corde est un exercice aérobique très intense. Pour maximiser votre entraînement et éviter les blessures, gardez vos genoux pliés, soulevez à peine vos pieds du sol et ne donnez que de petits coups de poignet pour faire tourner la corde.

676 COURSE À PIED

Si la marche est un exercice excellent, la course à pied l'est encore davantage. Si vous n'avez jamais fait de jogging, commencez par un entraînement combinant la marche et la course (5 minutes chacune pendant 30 minutes au total). Augmentez graduellement les minutes de course jusqu'à temps que la période d'entraînement soit entièrement faite à la course.

677 EN VÉLO!

C'est difficile à croire, mais les cyclistes inhalent une quantité moins importante de polluants provenant du trafic routier que les automobilistes. Des études ont montré que la pratique régulière du vélo contribue à donner une santé physique comparable à une personne de 10 ans de moins.

678 SUPER SQUASH

Pourchasser une petite balle de caoutchouc d'un bout à l'autre d'un court est sans doute une des activités les plus énergiques que vous puissiez faire. En prime, l'action de donner une sérieuse raclée à une balle est géniale pour libérer du stress. Une partie d'une trentaine de minutes est un excellent exercice aérobique et renforcit tous les groupes de muscles.

679 SOUS LE CHAPITEAU

Petits et pratiques, les mini trampolines peuvent être utilisés par des gens de tout âge et de toutes conditions physiques. Les gens plus âgés doivent cependant faire des mouvements plus légers, moins acrobatiques. L'utilisation d'un trampoline protège les articulations d'impacts trop forts et procurent un certain soulagement de douleurs au cou et au dos. Enfin, elle renforcit les muscles des jambes et augmente l'apport en oxygène à travers tout le corps.

680 MACHINE À RAMER

L'avantage de la machine à ramer est qu'elle offre un entraînement total avec très peu d'impact sur les articulations. Une séance vigoureuse d'entraînement sur la machine à ramer s'avère un des exercices les plus efficaces pour brûler des calories, mais vous pouvez régler vous-même le degré d'intensité. Cet exercice permet également de raffermir les bras et le ventre.

681 MASSAGE AÉROBIQUE

La plupart des exercices aérobiques impliquent des mouvements effectués en avant du corps, comme le tennis, la natation et la boxe. L'action de ramer procure un entraînement total et ultra-efficace, mais il permet également de soulager la tension musculaire dans le dos et dans le cou et de prévenir la formation de rides émanant du froncement de sourcils.

682 ULTRA-CARDIO

Pour que votre entraînement cardiovasculaire soit vraiment efficace, vous devez faire au moins 20 minutes d'exercice intense de 3 à 5 fois par semaine. Incorporez des intervalles dans vos séances d'entraînement : l'alternance entre des exercices légers et plus intenses doit permettre d'augmenter la fréquence cardiaque jusqu'à 70 % à 100 % de son maximum.

683 À LA NAGE

La natation est l'un des exercices les plus efficaces pour brûler la graisse, alors que le corps en entier travaille pour lutter contre la gravité de l'eau. Elle est fantastique pour raffermir les bras et les jambes et s'adapte à tous les niveaux de forme physique.

684 FRANCHIR DES MONTAGNES

Si vous planifiez une randonnée en pleine nature, choisissez un trajet comportant le plus de pentes possibles. Vous en retirerez plusieurs bienfaits, tant pour votre cœur que pour vos mollets, vos cuisses et vos fesses.

musculation et entraînement en résistance

685 AUGMENTEZ VOTRE MÉTABOLISME

Un entraînement en musculation peut augmenter le taux métabolique de 30 à 50 calories par jour. Sur une période de trois mois, un entraînement bien conçu devrait produire environ 1,4 kg de muscle, ce qui stimulera votre taux métabolique d'environ 7 %.

686 DES OS EN SANTÉ

L'utilisation de poids libres quelques fois par semaine peut augmenter de façon significative la densité minérale osseuse dans la colonne vertébrale, ce qui empêchera l'affaissement des vertèbres et une réduction de la taille.

687 EN TOUTE LIBERTÉ

Des études ont montré que les poids libres sont plus efficaces pour renforcir la musculature que les appareils de musculation. De plus, les poids libres peuvent être utilisés dans le confort de votre maison et au moment qui vous convient.

688 MUSCLES DE FER

Les exercices de musculation augmentent le métabolisme au moment de l'entraînement, et durant les quelques heures qui suivent. De plus, ils convertissent la graisse corporelle en muscle, ce qui est non seulement plus esthétique, mais permet de brûler encore davantage de calories!

689 BRÛLER DES CALORIES

Les muscles brûlent jusqu'à trois fois plus de calories et sont métaboliquement plus actifs que toute autre partie de votre corps. Ajoutez une séance d'entraînement en résistance à votre routine d'exercices afin de vous aider à brûler des calories et à tonifier votre corps.

690 POIDS LOURDS

Un entraînement avec des poids trop légers ne sert à rien. Même si vous ne désirez pas avoir les muscles d'une culturiste, vous devez utiliser des poids suffisamment lourds pour obliger vos muscles à travailler, et ainsi à se raffermir et à se fortifier.

691 FORTIFIEZ VOS OS

Avec l'âge, les changements hormonaux et une alimentation déficiente peuvent entraîner une détérioration de la masse osseuse. En incorporant un entraînement en résistance dans votre routine hebdomadaire, vous contribuerez à maintenir la densité de vos os et à prévenir l'ostéoporose.

692 UN BONUS APPRÉCIÉ

Une étude publiée dans l'*American College of Sports Medicine* a démontré que les exercices de musculation permettent d'augmenter le taux métabolique non seulement pendant la séance d'entraînement, mais aussi dans les deux heures qui suivent. Quoi de mieux que brûler des calories sans rien faire!

693 DU SOUTIEN POUR L'OSSATURE

L'ostéoporose demeure la principale cause d'invalidité chez les femmes âgées, particulièrement après la ménopause. Ne délaissez pas votre routine d'exercice par peur de vous casser des os. L'exercice peut au contraire vous aider! Des muscles plus forts seront aptes à soutenir l'ossature et vous aideront à maintenir une meilleure posture et un bon équilibre, ce qui vous évitera des chutes.

exercices de flexibilité

694 FLEXIBILITÉ STATIQUE

Les exercices de flexibilité de type statique-actif font appel à des mouvements qui utilisent uniquement vos propres muscles pour effectuer un étirement, par exemple soulever une jambe et garder la position. Le type statique-passif fait référence à des mouvements qui utilisent d'autres forces pour maintenir la position, par exemple une chaise ou le poids de votre corps. Visez à inclure les deux types d'exercices dans votre routine d'entraînement.

695 SALUTATION AU SOLEIL

Dès votre réveil, commencez la journée du bon pied avec 10 minutes d'étirement intense en faisant huit salutations au soleil. Cet exercice extraordinaire stimule positivement les substances qui affectent l'humeur, la dopamine, la norépinephrine et la sérotonine.

696 VERS UNE MEILLEURE POSTURE

Lorsque vos articulations sont raides, les muscles de l'abdomen et de la poitrine se contractent, vous donnant une posture voûtée. Des étirements de la poitrine et des épaules, de même que des redressements brachiaux (« *push-up* ») vous aideront à corriger ce phénomène.

697 TOUCHER VOS ORTEILS

Pour une bouffée instantanée d'énergie,
penchez-vous à la taille et laissez tomber
votre tête de façon à ce que vos mains
touchent vos orteils (ou le plus près possible).
Le haut du corps doit être décontracté.
Maintenez la position pendant quelques
secondes et redressez-vous doucement. Voilà
un bon exercice matinal qui vous aidera à
améliorer votre flexibilité et votre posture.

698 EN MOUVEMENT

Votre routine d'étirement doit inclure toutes
les parties du corps et être dynamique, c'est-
à-dire amener les muscles ou les membres à
faire toute la gamme de mouvements
possibles, lentement et doucement.

699 ÉTIREMENTS ESSENTIELS

Un dos droit et fort est la meilleure garantie
pour éviter de rapetisser avec l'âge. À partir
de 40 ans, on perd 1 cm par décennie. Essayez
cet exercice préventif : couchez-vous sur le
ventre, les bras étendus devant vous, et
soulevez doucement chaque bras pendant
10 secondes en expirant. Répétez 8 fois pour
chaque bras.

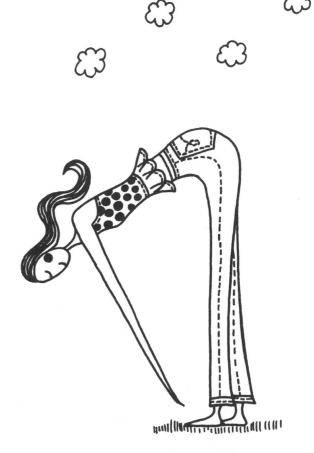

700 LES VERTUS DE LA FLEXIBILITÉ

Le vieillissement entraîne une certaine raideur dans les articulations. Les exercices d'étirement peuvent améliorer la flexibilité. Les flexions, les rotations et les étirements peuvent en outre prévenir les blessures. Choisissez une routine d'exercices légers que vous pourrez faire quatre à cinq fois par semaine. Évitez cependant toutes les positions qui compriment les vertèbres et mettent de la pression sur votre colonne vertébrale, comme les torsions trop vigoureuses.

701 LENTEMENT ET SÛREMENT

Les étirements sont des exercices qui doivent être pratiqués lentement et en douceur. Soyez patiente et faites toujours des mouvements profonds et lents, sans jamais les forcer au point de ressentir de la douleur. Prenez votre temps, gardez une respiration naturelle, ne retenez jamais votre souffle. Si l'un des mouvements d'étirement vous fait mal, retirez-le de votre routine.

prévenir l'épaississement du ventre

702 L'ENNEMI A UN NOM : LA SOMATOPAUSE!

La communauté médicale a donné un nom à cette espèce d'épaississement de la taille qui vient avec l'âge : la somatopause. Or, des études ont démontré que la pratique d'exercices aérobiques intenses stimule la production d'hormones de croissance humaine (dont la réduction est la cause principale du ralentissement métabolique), un facteur qui permettrait de renverser certains des symptômes classiques du vieillissement.

703 AU BOULOT!

La plupart d'entre nous passent une trop grande partie de notre temps assis dans un bureau devant un écran d'ordinateur. Profitez de l'occasion pour faire quelques exercices faciles et ultra-discrets : contractez votre ventre et vos fesses, maintenez pendant une vingtaine de secondes et relâchez. Répétez quatre fois par jour et vous verrez des résultats.

704 INCONTOURNABLES, LES ABDOS

Les redressements assis demeurent les meilleurs exercices pour raffermir le groupe de muscles abdominaux. La pratique régulière d'exercice renforcira tous les muscles du tronc. Ces muscles soutiennent tous les organes internes, contribuent à la respiration et travaillent en collaboration avec la colonne vertébrale pour faire bouger le corps en entier.

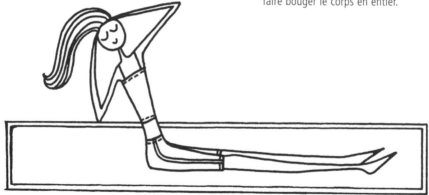

705 SILHOUETTE EN POMME

Les gens qui ont une silhouette en forme de « pomme » et dont la taille mesure plus de 81 cm doivent faire des efforts supplémentaires pour prévenir les risques de maladies du cœur et de diabète. Même une perte de poids légère (10 % du poids total) peut réduire de façon spectaculaire la couche de gras qui entoure le ventre.

706 TONIFIER SANS EFFORT

Essayez le corset Slendertone pour tonifier vos abdominaux. Cet appareil stimule les muscles de l'abdomen sans le moindre effort de votre part. De petites contractions pulsées favorisent le raffermissement et le renforcement des muscles; une utilisation régulière devrait conduire à une réduction du tour de taille.

707 POUR DÉGONFLER VOTRE BALLON

Essayez cet exercice facile et tonifiant pour le ventre et les bras: couchez-vous à plat ventre sur un ballon d'exercice et déplacez-vous de façon à ce que le ballon roule doucement vers votre visage. Gardez votre corps le plus droit possible et déplacez-vous de nouveau vers le centre. Répétez cinq fois par jour et vous verrez des résultats.

708 ENFILEZ VOS PATINS

Le patin à glace et le patin à roues alignées sont des sports qui gardent le torse en forme. En effet, c'est tout le haut du corps qui travaille : les bras servent à propulser le mouvement tandis que les muscles du haut du corps maintiennent l'équilibre.

709 RAFFERMIR EN DOUCEUR

Si vous avez besoin d'un peu de repos, essayez cet exercice peu fatigant. Couchez-vous sur le dos et déposez vos mollets sur un ballon d'exercice. Soulevez lentement vos hanches de façon à ce que votre corps forme une ligne droite des épaules aux mollets. Maintenez la position pendant trente secondes, puis reposez vos hanches sur le sol. Répétez dix fois.

710 LES BIENFAITS DU PILATES

Avec l'âge, le ralentissement du métabolisme entraîne l'accumulation de graisse autour de la taille. La méthode Pilates se concentre sur la région du tronc et fait appel à des exercices de flexibilité et de musculation pour raffermir et allonger les muscles de la taille et du ventre et renforcer la région lombaire.

711 UNE PIERRE DEUX COUPS

Installez-vous sur un ballon d'exercice pour regarder votre émission préférée à la télévision. Gardez le dos bien droit, contractez vos muscles abdominaux et soulevez un pied à la fois. Une façon relaxante de faire travailler vos muscles du ventre!

712 SIMPLES TORSIONS

Pour affiner la taille, essayez les torsions du tronc. Ce sont d'excellents exercices de réchauffement pour les redressements assis. Placez-vous debout, les pieds à plat sur le plancher, le dos droit, les bras pliés et le bout des doigts touchant le dessus des épaules. Tournez lentement les coudes, les bras et les épaules, comme si vous regardiez par-dessus votre épaule, suivant le mouvement du corps avec votre tête et en gardant le ventre rentré. Revenez à la position initiale et tournez-vous de l'autre côté.

jambes et fesses

713 PATIN À ROUES ALIGNÉES

Pour raffermir le derrière des cuisses et les fesses, essayez 30 minutes de patin à roues alignées. Encore plus efficace que la course ou le cyclisme, cet exercice travaille les muscles de la hanche et du fessier sans trop d'effort.

714 N'IMPORTE OÙ, N'IMPORTE QUAND

Maximisez toutes ces minutes passées dans une file d'attente au supermarché ou à l'arrêt d'autobus en pratiquant un exercice simple et discret. Contractez les muscles de vos fesses, maintenez pendant 30 secondes et relâchez. Cet exercice travaille le muscle grand fessier et raffermira les fesses flasques tout en protégeant le bas de la colonne vertébrale.

715 CIBLER LA CUISSE INTERNE

Ras le bol des cuisses qui gigotent? Il y a de l'espoir. Certains exercices permettent de raffermir ces petits muscles situés dans la partie interne de la cuisse et qui vous permettent d'ouvrir et de fermer les jambes. Les exercices les plus efficaces font appel à des poids, des élastiques et des ballons dans le cadre d'un entraînement en résistance. Les flexions et les bonds de côté sont également efficaces.

716 UN PAS DANS LA BONNE DIRECTION

Bien qu'il soit impossible de changer la forme de votre corps, certaines améliorations sont à votre portée, comme raffermir des fesses devenues flasques. La fente avant est un excellent exercice à cet égard: tenez-vous debout bien droite, faites un grand pas en avant et pliez le genou; retournez ensuite à votre position initiale en poussant sur votre jambe.

717 DENTS BLANCHES, FESSES FERMES

Une pierre deux coups! Prenez l'habitude de faire ce petit exercice lorsque vous vous brossez les dents. En vous tenant bien sur l'évier, soulevez une jambe de côté et vers l'arrière. Le mouvement doit être lent et bien contrôlé et le pied doit demeurer fléchi.

718 FORCE INDÉPENDANTE

Essayez des exercices qui visent à faire travailler et renforcer une jambe à la fois, plutôt que les deux simultanément. De tels exercices contribuent à améliorer la stabilité, chaque jambe étant mieux équipée pour effectuer les transitions d'une jambe à l'autre lors d'activités comme la marche, la course, etc.

719 ADIEU LA CULOTTE DE CHEVAL

Certains exercices ciblent directement cette région de la cuisse externe connue pour sa redoutable « culotte de cheval ». Tenez-vous debout bien droite, soulevez votre jambe droite de côté puis redéposez-la. Répétez 10 à 12 fois, puis faites-le même mouvement avec la jambe gauche. Pour augmenter l'intensité de cet exercice, ajoutez des poids cheville.

720 FENTES ET FLEXIONS

Si vos jambes commencent à montrer des signes de vieillesse tels que de la peau flasque au-dessus du genou, incorporez des flexions de jambe et des fentes avant dans votre routine d'exercices. La bonne nouvelle : les muscles des jambes se renforcent rapidement, et les flexions font travailler les quadriceps sur le devant de la cuisse, qui sont les muscles qui soutiennent le genou. Ce sont également de bons exercices pour le tendon du jarret et les muscles du fessier.

muscler les bras flasques

721 COURSES MUSCLÉES

Au supermarché, troquez le chariot pour un panier. Vos bras y gagneront en force et en fermeté, surtout si vous faites quelques flexions des avant-bras pendant que vous attendez en file!

722 DES POIDS QUI FONT LA DIFFÉRENCE

Augmentez l'intensité de votre marche de santé en portant des poids légers dans les mains. Marchez d'un pas déterminé en utilisant vos bras pour vous propulser vers l'avant.

723 FAITES DE LA MUSCULATION

À l'âge mûr, un entraînement cardiovasculaire ne suffit plus pour garder les muscles tonifiés. Des exercices ciblant spécifiquement la région des bras et faisant travailler les mêmes muscles de façon répétitive vous donneront des bras au contour bien défini, de même qu'un métabolisme plus actif puisque les muscles brûlent davantage de calories que la graisse.

724 TENNIS POUR LES TRICEPS

Les deux-tiers de la taille totale des bras sont formés par les triceps, les muscles situés derrière les bras. Des exercices ciblant cette région spécifique feront donc une grande différence dans l'apparence de vos bras. Pratiquez votre service de tennis, en plus d'exercices ciblés comme les *kickbacks* et les répulsions aux barres (ou « *dips* »).

725 AU QUOTIDIEN

Nous redoutons tous l'apparition des bras flasques avec l'âge. Mais il est possible d'éviter ce sort en pratiquant régulièrement des répulsions (« *dips* »); tout qu'il vous faut, c'est une chaise!

726 SUR LE BALLON

Il vous faudra de la concentration pour éviter de tomber du ballon d'exercice en faisant des redressements brachiaux (« *push-up* »), mais persévérez et vous verrez d'heureux résultats. Faites trois séries de 10, trois fois par semaines pour raffermir les muscles des bras.

727 EXERCICE INTELLECTUEL

Deux exercices simples à essayer à la maison. Tenez un livre lourd dans chaque main, les bras le long du corps. Faites des flexions, soulevant les bras jusqu'à la hauteur des épaules. Couchez-vous ensuite sur le dos, les bras étendus au-dessus de la tête. Soulevez vos bras jusqu'à ce que le livre soit à la hauteur des yeux. Faites trois séries de 10, trois fois par semaine.

sagesse de l'Orient

728 POSTURE DU ROI

Prenez l'habitude de pratiquer un appui renversé sur la tête dès votre réveil chaque matin. Cette posture, appelée en yoga le « roi des Asanas », a un effet rajeunissant sur toutes les cellules du corps. On lui attribue la vertu de ralentir de façon spectaculaire le processus du vieillissement.

729 FORTIFIER LA COLONNE

L'appui brachial renversé est une posture yoga exigeante, mais elle recèle des bienfaits extraordinaires pour le corps en entier. Il est important de bien se réchauffer au préalable. Cette posture stimule la circulation sanguine et la glande thyroïde et renforcit les épaules, les bras et le haut du dos.

730 LES AVANTAGES DU YOGA

Prenez des leçons de yoga pour favoriser l'unification du corps et de l'esprit. Les bienfaits du yoga incluent une plus grande flexibilité, une augmentation de la force et de la résistance, de même qu'un sentiment de bien-être, d'optimisme et de lucidité.

731 MÉDITATION EN MOUVEMENT

Le tai chi est un art martial chinois dont les exercices non-compétitifs comportent un grand nombre de bienfaits pour le corps et l'esprit. Ceux-ci contribuent à réduire le stress, à augmenter le niveau d'énergie et à favoriser un sentiment de bien-être général.

une bonne posture

732 DOS VOÛTÉ = VIEILLARD

Soignez votre posture lorsqu'on vous présente de nouvelles connaissances. Tenez-vous bien droite et rentrez les fesses. Évitez de vous tenir le dos rond, affalé ou appuyé sur un mur. Retirez les mains de vos poches et redressez vos épaules. Rien n'est plus vieillissant qu'un dos voûté et une mauvaise posture.

733 POITRINE EN AVANT

Une meilleure posture peut créer l'illusion d'une poitrine plus volumineuse. Faites un effort conscient pour vous tenir droite, car une colonne vertébrale bien redressée soulève naturellement la cage thoracique et permet aux seins de s'asseoir plus joliment sur la poitrine. Consultez un chiropraticien si vous n'arrivez pas à améliorer votre posture par vous-même.

734 ÉPAULES DÉTENDUES

La tension, le stress et l'anxiété nous portent à contracter les épaules, ce qui peut nous donner une apparence voûtée et des maux de tête et de cou. Afin d'améliorer votre posture, pensez à positionner vos épaules vers l'arrière et le bas et à vous détendre les muscles.

735 CHAISE ERGONOMIQUE

Assoyez-vous sur une chaise ergonomique lorsque vous travaillez afin de réduire les dommages découlant de longues heures passées avec les épaules avachies et le dos voûté. Continuez à faire régulièrement des étirements de la colonne vertébrale et des rotations de la tête.

736 BONNE POSTURE ASSISE

Les maux de cou sont causés principalement par la dégénérescence naturelle de la colonne vertébrale et une mauvaise posture. Faites de la prévention en gardant une bonne posture lorsque vous restez assis pendant de longues périodes. Évitez les tâches qui mettent de la pression sur le cou, comme la lecture ou le tricot durant des périodes prolongées. Pour éviter les crampes inconfortables, changez souvent de position, et abstenez-vous de faire des siestes dans une chaise.

737 TIREZ LES FICELLES

La méthode Pilates contribue à maintenir une colonne vertébrale droite et forte. De plus, un alignement correct peut empêcher la colonne vertébrale de se courber avec l'âge. Pour garder une posture bien alignée, imaginez une ficelle qui vous traverse le corps à la verticale, passant à travers la colonne vertébrale et tirant la tête vers le haut.

738 TECHNIQUE ALEXANDER

Une bonne posture demeure l'un des meilleurs moyens pour défier le vieillissement. La technique Alexander vous montrera comment vous tenir debout, vous asseoir et marcher avec un parfait alignement tout en améliorant votre résistance et votre flexibilité.

comment choisir des vêtements sport

739 PROTÉGEZ VOS SEINS

Les seins ont besoin d'un soutien ferme durant l'exercice physique. Ils risquent autrement de balloter dans tous les sens, étirant du même coup le ligament de Cooper, qui retient les seins. Des ligaments et des tissus étirés le resteront pour toujours… alors faites attention!

740 L'ANTI-CHAUSSURE

Pour maximiser les bénéfices de votre séance d'entraînement, essayez le tout dernier cri en matière de chaussures de sport, les Masai Barefoot Technology (MBT). Grâce à ces chaussures, les surfaces dures et artificielles deviennent plus naturelles et inégales, ce qui comporte de nombreux bienfaits pour le corps, amplifie les effets tonifiants des exercices et favorise une meilleure posture.

741 UNE TENUE TENDANCE

L'époque où les vêtements sport étaient toujours larges et informes est révolue. Choisissez des vêtements qui sont à la fois confortables et flatteurs. Si vous vous sentez comme un éléphant chaque fois que vous enfilez votre tenue de gym, vous vous découragerez rapidement et trouverez des bonnes excuses pour abandonner votre programme d'entraînement.

742 CHAUSSURES DE COURSE

Ne portez vos chaussures de course que pour courir. En les utilisant pour pratiquer d'autres sports, vous risquez d'endommager ses composantes qui assurent l'amortissement et le contrôle de mouvement. Remplacez vos chaussures tous les six mois car l'usure finit par affecter les coussinets.

743 SEMELLES DE PLOMB

Les chaussures de sport Power Diet sont conçues de façon à maximiser votre entraînement. Elles sont vendues avec deux types de semelles ergonomiques munies de poids afin d'intensifier le travail des muscles lorsque vous courez. Elles sont particulièrement efficaces pour raffermir les jambes flasques.

l'exercice au quotidien

744 APPUYEZ VOTRE ÉQUIPE

Si vos enfants jouent au soccer, devenez un juge de lignes bénévole pour l'équipe! Vous devrez courir d'un bout à l'autre du terrain, et puisque vous serez en train d'encourager les joueurs, vous ne vous rendrez pas compte à quel point vous vous dépensez. Saisissez chaque occasion pour faire de l'exercice avec vos enfants. C'est bon pour la santé, et c'est un modèle excellent pour le développement de bonnes habitudes familiales.

745 OUBLIEZ DE VOUS ASSEOIR

Essayez d'accomplir le plus de tâches possible en vous tenant debout ou en marchant plutôt qu'en restant assise. Passer de longues périodes en position assise augmente le risque de thrombose et de mollets enflés. Par exemple, chaque fois que le téléphone sonne, levez-vous et marchez tout en discutant.

746 RESTEZ EN MOUVEMENT

Chaque jour, pensez à des façons de faire un peu de cardio. Choisissez toujours l'option la plus énergique : empruntez les escaliers plutôt que de prendre l'ascenseur; montez les marches de l'escalier mécanique; prenez votre vélo plutôt que la voiture pour parcourir de courtes distances; ou garez votre voiture à une bonne distance de votre destination afin de faire une petite promenade de santé.

747 PASSEZ AU JARDIN

Sortez dans le jardin! Ratissez, bêchez, creusez, pelletez. Des études ont démontré qu'un après-midi passé à travailler dans le jardin utilise autant d'énergie qu'une bonne marche ou un tour de vélo. Le corps en entier se trouve à travailler alors que vous vous étirez, transportez des charges, et levez parfois des objets lourds.

748 AU-DELÀ DU GYM

Si les salles d'entraînement vous font mourir d'ennui, trouvez une autre activité qui est à la fois aérobique et amusante. Le tennis, la danse salsa, l'escrime et le ballet sont autant d'activités qui augmentent le rythme cardiaque, vous gardent en forme et souple et fournissent d'excellentes occasions d'interaction sociale. En plus, ces activités peuvent être pratiquées plus tard dans la vie.

749 LE PLAISIR DU VÉLO

Redécouvrez le plaisir de faire vos courses à vélo. C'est une excellente façon de raffermir les jambes et les mollets. Si vous vous y plaisez vraiment, essayez le vélo de montagne qui améliorera la forme de votre corps en entier et vous donnera des joues roses de santé.

750 TOP MÉNAGÈRE

Si vous avez l'habitude de suspendre vos vêtements à l'air frais, placez votre corde à linge bien au-dessus de votre tête. L'action de vous étirer pour suspendre les vêtements et fixer les pinces à linge est un exercice fantastique pour la colonne vertébrale. Faites de même en maximisant toutes vos tâches domestiques. Soyez énergique lorsque vous faites un bon ménage de printemps ou lavez votre voiture.

super aliments anti-âge

751 DÉCOUVREZ LES ALIMENTS ORAC

L'ORAC (pour Oxygen Radical Absorbance Capacity) est un système qui sert à mesurer la teneur en antioxydants des aliments. À l'aide d'un système de pointage, il permet d'identifier et de classer les fruits et légumes à teneur élevée en antioxydants. Certaines études conduites par le Département d'Agriculture des États-Unis suggèrent que les aliments ORAC pourraient contribuer à ralentir le processus du vieillissement du corps et du cerveau et à réduire les risques de maladies liées au vieillissement, incluant la sénilité.

752 TOP 10

La teneur élevée en antioxydants des aliments ORAC provient de pigments végétaux appelés polyphénols. On croit que c'est la combinaison de vitamines, de fer et d'acide folique qui les rend si efficaces. Les aliments ayant une valeur ORAC élevée incluent l'avocat, les bleuets, le brocoli, les mûres, l'ail, le chou vert frisé, les prunes, le raisin sec, le raison rouge et les épinards.

754 ARMEZ-VOUS D'ANTIOXYDANTS

Assurez-vous que votre alimentation contienne un grand nombre d'aliments antioxydants, que vous trouverez dans une variété de fruits et légumes. Ces super aliments contribuent à ralentir le vieillissement cellulaire et à « désarmer » les cellules néfastes.

755 VIEUX PRUNEAU?

Les pruneaux séchés ont reçu le statut de « super aliment » car ils contiennent une teneur élevée en antioxydants, qui neutralisent les radicaux libres associés avec la dégradation de l'ADN et l'accélération du vieillissement.

756 MAMMA MIA!

Si vous désirez avoir la peau aussi douce qu'une tomate, mangez-en une! Les tomates contiennent du lycopène, un antioxydant qu'on associe avec le maintien d'une peau en santé et la réduction du cancer. Le processus de cuisson favorise une meilleure absorption du lycopène, alors n'hésitez pas à consommer vos tomates en sauce.

753 LES BIENFAITS DU THÉ VERT

Chaque jour, nous sommes exposés à la pollution, au stress, à la fumée de cigarette et au soleil, de telle sorte que nous devons subir les assauts des radicaux libres, plus de 10 millions de fois par jour! La consommation d'une tasse de thé vert ou blanc par jour peut favoriser l'action des antioxydants et réduire les dommages liés aux radicaux libres. On prétend aussi que l'action de faire tremper le sachet de thé de haut en bas libère davantage ses propriétés antioxydantes.

757 LE ZINC EST BON POUR LA PEAU

Le zinc est l'un des minéraux les plus bénéfiques pour la peau. Il a un effet direct sur la régénération de toutes les couches de la peau, donnant ainsi un bon coup de pouce aux peaux à problèmes ou plus matures. Le zinc se trouve principalement dans les aliments riches en protéines, mais les végétariens peuvent également en faire provision en consommant des pépins de citrouille.

758 UNE ALLIÉE INDISPENSABLE

La vitamine A est particulièrement utile pour garder une peau en santé. Elle apaise la peau irritée et rouge et peut contribuer à réduire l'apparence des rides et des ridules.

759 SANG BLEU

Les bleuets contiennent des anthocyanes mauves auxquelles on attribue la propriété de renforcer les petits vaisseaux sanguins, contribuant ainsi à réduire l'apparence des varices et de la rosacée.

760 VITAMINE MERVEILLE

La vitamine A est véritablement miraculeuse. Non seulement peut-elle apaiser et rajeunir la peau, mais elle aide également à prévenir les dommages causés par le soleil. Le foie, la patate douce, les carottes, les mangues, les épinards et le lait sont tous d'excellentes sources de vitamine A.

761 LES GRAS ESSENTIELS

Une alimentation entièrement dépourvue de gras privera votre peau des acides gras essentiels dont elle a besoin et lui donnera une apparence sèche et terne. Les acides gras essentiels (AGE) sont, comme le suggère leur nom, essentiels à une bonne santé. Ils contribuent à réduire le taux de cholestérol et gardent les cheveux et la peau en santé. Le corps ne produit pas naturellement d'AGE, ainsi vous devez lui en fournir à travers votre alimentation. Les noix, l'avocat et les poissons gras en sont de bonnes sources.

762 LA NUTRI-PHARMACEUTIQUE

Apprivoisez les « aliments fonctionnels » comportant des bienfaits pour la santé en raison de certains additifs alimentaires ciblant des problèmes spécifiques, par exemple la margarine enrichie de stérols végétaux pour aider à réduire le taux de cholestérol, ou encore l'eau enrichie de calcium.

763 UNE BONNE BIÈRE

La bière est traditionnellement associée avec des cheveux et une peau en santé. Nous savons maintenant qu'elle est riche en acide silique, une version diluée du minéral silicium, qui est excellent pour la peau. Alors, c'est maintenant officiel : la bière est bonne pour vous!

764 DES SARDINES POUR SOUPER

On recommande aux femmes de consommer deux portions de poisson gras par semaine. Les sardines constituent une solution facile et savoureuse pour atteindre cet objectif. Essayez des sardines sur des tartines en guise de casse-croûte. Riches en oméga-3, les sardines fournissent une bonne protection contre les maladies du cœur, et contribuent à maintenir une peau douce, souple et fraîche.

765 MANGEZ LA CERISE, PAS LE GÂTEAU

Envie d'une petite dose de sucre qui vous donnera instantanément de l'énergie tout en élevant lentement votre taux de sucre? Mangez des cerises. Elles contiennent des flavonoïdes, des antioxydants connus pour leurs propriétés antivirales, anti-allergènes, anti-plaquettes sanguines, anti-inflammatoires, et anti-tumeurs.

766 DOUX COMME LE MIEL

Renommés pour leurs propriétés médicinales depuis l'époque de l'Égypte ancienne, les miels sombres comme le miel de sarasin sont plus riches en antioxydants que les miels plus légers. Ils fournissent également des nutriments qui favorisent la croissance de nouveaux tissus, aidant ainsi la peau à se régénérer et à paraître plus jeune.

767 LÉGUMES VERTS

Apprenez à aimer les légumes verts comme le chou, le poireau et le brocoli, qui sont riches en soufre, un « minéral de beauté » qui favorise une meilleure santé de la peau et des ongles. Ils contiennent également des taux élevés d'antioxydants, qui aident à prévenir le vieillissement de la peau.

768 INFUSION DE SANTÉ

Troquez votre tasse de thé laiteux et sucré pour une tisane nature. Il existe une grande variété de saveurs qui plairont à tous les goûts. Le thé vert s'avère un excellent choix, en vertu de ses propriétés antioxydantes.

769 LE SÉLÉNIUM

Le sélénium est un antioxydant très important qui travaille en collaboration avec la vitamine E pour empêcher l'action néfaste des radicaux libres sur la membrane cellulaire. On pense aussi qu'il contribue à prévenir le cancer, à protéger contre les maladies du cœur et à favoriser la santé des yeux, de la peau et des cheveux. Les noix du Brésil, les rognons, le foie et le pain de grains entiers en sont tous d'excellentes sources.

770 LAIT BIO

Des études récentes ont révélé que les produits laitiers biologiques sont meilleurs pour la santé que les variétés non-biologiques. Ils contiennent des concentrations plus élevées de vitamine E, d'oméga-3, d'antioxydants, qui ont tous des propriétés anti-âge.

771 DU SÉLÉNIUM DANS LE JARDIN

Les produits qui ont été cultivés dans des sols enrichis en sélénium (le blé dans du pain ou les pommes de terre) contribuent à fournir au corps l'apport idéal en sélénium, un antioxydant puissant qui renforce le système immunitaire et aide à maintenir le cœur en santé.

772 CHOCOOLIQUE? TANT MIEUX!

Les flavanoïdes sont des super nutriments qui aident à protéger le corps des effets néfastes des radicaux libres. On en trouve dans les chocolats de bonne qualité contenant au moins 70 % de solides de cacao.

773 UN VERRE DE VINO!

Le resveratrol est un antioxydant puissant qui se trouve dans la peau des raisins et le vin rouge. Il aide à combattre le cancer et les maladies cardiovasculaires, et à éliminer le gras. À votre santé!

774 TROQUEZ VOS CROUSTILLES

Les noix non salées sont une excellente collation santé. Riches en acides gras essentiels, ils peuvent aider à accélérer le travail du système digestif et à garder la peau hydratée et fraîche. Mais attention! Ils sont aussi riches en calories, alors, à consommer avec modération.

775 BEAUTÉ AMAZONE

Renommée pour ses vertus anti-âge, la baie d'acai vient des forêts tropicales d'Amazonie et contient, comme le vin rouge, des anthocyanes qui ont de nombreux bienfaits pour la santé. Essayez certains jus de fruits concentrés ou mangez le fruit lui-même pour ralentir le processus du vieillissement.

776 HIVER VITAMINÉ

Les petits fruits congelés contiennent autant d'antioxydants que les fruits frais. En hiver, ils sont d'excellentes sources de vitamine C, en plus de contenir de la vitamine A et du calcium en petites quantités.

777 PEAU D'AMANDE

Des études ont démontré que la peau des amandes contient au moins 20 types d'antioxydants puissants offrant une protection potentielle contre les maladies du cœur. Elle est également riche en vitamine E, qui aide à ralentir le processus du vieillissement.

778 AVEC PELURE

Mangez toujours la pelure des pommes et des poires car elles contiennent une plus grande concentration d'antioxydants que la chair. La pelure est également une bonne source de fibres insolubles qui favorisent une bonne digestion.

779 UNE BAIE ÉNERGISANTE

Le jus de cassis fraîchement pressé contient un grand nombre d'antioxydants qui peuvent prévenir le vieillissement prématuré des cellules, réduire le taux de cholestérol et protéger contre le cancer.

780 L'HERBE DE BLÉ

Un peu inhabituel au goût, le jus d'herbe de blé est néanmoins rempli de nombreux minéraux essentiels comme le calcium, le magnésium, le potassium, le fer, le sodium, de même que des vitamines A, B, C et E, tous des éléments indispensables à une bonne santé des dents, des cheveux et de la peau. C'est une plante facile à faire pousser chez soi.

781 EXPLOSION DE COULEURS

Tous les légumes et fruits frais contiennent des antioxydants puissants, mais, règle générale, plus leur couleur est profonde et intense, plus leur activité antioxydante est élevée. Optez pour les poivrons rouges et oranges, les tomates, les canneberges, la grenade et le brocoli.

782 LES BONNES BACTÉRIES

Le yogourt biologique et faible en gras est non seulement riche en vitamine A (qui stimule la régénération des cellules), mais il contient aussi des lactobacilles acidophiles, des bactéries actives qui favorisent la santé des intestins. Une bonne dose de vitamine A et une meilleure santé digestive auront un impact positif sur l'apparence de votre peau.

783 BOISSON SANTÉ

Essayez le thé rouge, ou rooibos. Issu d'une plante poussant dans les montagnes d'Afrique du Sud, le thé rouge rooibos a un goût similaire au thé ordinaire, mais possède des vertus antioxydantes puissantes et ne contient pas de caféine.

784 BAIE DE GOJI

Un expert en soins de la peau a surnommé le jus de baie de goji « l'assassin de la cellulite ». Cette boisson énergisante contient davantage de bêta-carotène que les carottes et plus de fer que les épinards.

785 ADEPTES DU THÉ

Le thé vert et le thé noir contiennent des quantités différentes de polyphénols, mais ils peuvent tous deux aider à fortifier le système immunitaire et contribuer au renouvellement cellulaire de la peau.

786 CROQUEZ UNE CAROTTE

Les carottes biologiques sont une excellente source de bêta-carotène, un antioxydant puissant que le corps convertit en vitamine A, favorisant ainsi la santé de la peau et des cellules et une bonne vision nocturne.

vitamines et suppléments

787
SUPER VITAMINE C

Cette vitamine aux fonctions multiples atteint toutes les cellules du corps. Connue aussi sous le nom acide ascorbique, elle est essentielle à la production de collagène et s'avère un antioxydant puissant qui détruit les radicaux libres causant le vieillissement prématuré.

788
LA CLÉ EST DANS L'ÉQUILIBRE

Une alimentation équilibrée doit contenir les vitamines et minéraux essentiels, de même que des protéines, des hydrates de carbone, des gras et des fibres. Les suppléments de vitamines ne peuvent remplacer une alimentation de bonne qualité.

789
COLLAGÈNE EN GÉLULES

Une peau resplendissante est le reflet de ce qui se passe à l'intérieur du corps. Les gélules de collagène contiennent des protéines essentielles et des acides aminés qui aident à stimuler la production de collagène du corps, en vue d'une peau plus ferme, plus fraîche.

790
LA PILULE MAGIQUE N'EXISTE PAS

Si vous utilisez des suppléments pour contrebalancer les effets d'une mauvaise alimentation, vous ne verrez pas d'améliorations dans l'apparence de votre peau, la croissance de vos ongles ou la texture de vos cheveux. Une surdose de suppléments fera plus de dommages que de bien et pourrait vous rendre malade.

791
BOURRACHE DE SANTÉ

Essayez l'huile de bourrache pour améliorer votre santé. Dérivée des graines de bourrache, cette huile est remplie d'acides gamma-linoléiques (GLA), un « bon » gras qui favorise la santé de la peau, des cheveux et des ongles en fournissant un apport en acides gras essentiels.

792
10 SUR 10

La CoEnzyme Q10 est un antioxydant et un hydratant incroyable, le chouchou des vedettes d'Hollywood. Présente dans la peau, elle accélère la régénération cellulaire. Prise sous forme de comprimé, la CoQ10 contribue aux mécanismes réparateurs du corps et peut à long terme aider au renouvellement de la peau.

793 DANS LA PEAU D'UN POISSON

Essayez les suppléments d'Imedeen, qui contiennent un complexe BioMarin extrait de derme de poisson des mers froides, dont les protéines sont semblables à celles présentes dans la peau humaine. Il a été prouvé que cet extrait peut réellement améliorer la densité et l'humidité de la peau.

794 MAMAN AVAIT RAISON

Faites-vous partie de celles à qui on donnait une cuillérée d'huile de foie de morue tous les jours quand vous étiez enfant? Votre mère n'avait pas tort! Il a été prouvé que la prise d'un supplément quotidien d'huile de foie de morue peut aider à réduire la douleur et l'inflammation dans les articulations et avoir des effets bénéfiques sur la peau, les cheveux et les ongles.

795 COMPLÉMENTS ALIMENTAIRES

L'apport nutritionnel des aliments tend à être compromis par les effets combinés de la pollution, des pesticides et des procédés de transformation. Sans remplacer la nécessité d'une alimentation saine, la prise de suppléments de vitamines, de minéraux ou d'huile de poisson peut contribuer à maintenir une santé optimale.

796 GO GINSENG

La racine de cette plante, qui contient des ginsenocides, sert de tonifiant pour stimuler le système immunitaire, augmenter la concentration, énergiser et revitaliser le corps en entier.

797 ALGUES BÉNÉFIQUES

Consommée depuis des millénaires par les Aztèques au Mexique, la spiruline est une algue bleu-vert présente dans la plupart des lacs et des étangs. Très riche en protéines, en vitamine B complexe, en vitamine E et en zinc, elle favorise des cheveux et une peau en santé.

798 PROZAC NATUREL

Un supplément de millepertuis peut aider à soulager la déprime et les idées noires. On croit que le millepertuis stimule et prolonge l'activité de deux neurotransmetteurs, la sérotonine et la noradrénaline, de façon similaire aux antidépresseurs conventionnels, et doit être pris pendant quelques semaines avant de voir des résultats.

799 VITAMINEZ VOTRE VIE

Rien ne remplace une saine alimentation, cependant la prise quotidienne d'un supplément de vitamines garantit que votre corps bénéficiera de tous les vitamines et minéraux dont il a besoin pour rester actif et en santé. Pour de meilleurs résultats, prenez vos suppléments multivitaminiques à l'heure des repas afin de favoriser l'action synergique des nutriments.

800 AIDE-MÉMOIRE

Une analyse scientifique a révélé que le Ginkgo biloba contient des flavonoïdes et des terpénoïdes qui combattent les radicaux libres et réduisent les risques d'inflammation et de coagulation du sang. Les adeptes de Ginkgo biloba croient qu'il améliore également la mémoire et la concentration.

801 PENSE-BÊTE

Des suppléments qui stimulent le cerveau comme le Ginkgo biloba et l'extrait de bourgeons d'aubépine peuvent aider à améliorer les fonctions mentales en stimulant les cellules de mémoire, vous gardant alerte et renouvelant l'activité cellulaire du cerveau.

802 PARFAIRE LA PEAU

Pour conserver un teint radieux et jeune, prenez un supplément de Perfectil Platinum. Conçu dans le but de régénérer et affiner la peau mature, ses ingrédients incluent le collagène marin de haute qualité, l'extrait d'écorce de pin et l'acide alpha-lipoïque.

803 SOUS LE MARRONNIER

Disponible sous forme de crème, de comprimés ou de gélules dans les magasins d'aliments naturels et en pharmacie, le marron d'Inde est utilisé depuis longtemps pour traiter les varicosités et les hémorroïdes. Il contient de l'aescine qui pourrait aider à réduire l'apparence de la cellulite en tonifiant les capillaires sous la peau.

804 CENTELLA

Utilisé d'abord comme médicament en France dans les années 1880, l'extrait de Centella a été réintroduit par l'industrie cosmétique comme traitement anticellulite. On croit qu'il renforce la structure des tissus conjonctifs et réduit la sclérose des fibroblastes, rendant ainsi la peau plus douce.

805 PROTECTION CONTRE LE FROID

Le vent froid d'hiver peut rendre la peau déshydratée, gercée, sèche et squameuse. Pour minimiser les dommages, augmentez votre consommation de poisson gras et prenez un supplément d'oméga-3 afin de garder la peau saine hydratée.

806 ENTRE LE PIN ET L'ÉCORCE

Extrait de l'écorce de pin maritime, le Pycnogénol appartient à la catégorie des bioflavonoïdes très puissants. Le Pycnogénol protège la peau contre le photo-vieillissement et a la capacité de revitaliser le collagène.

807 ALERTE MAINS FROIDES

Protégez toujours vos mains du froid car les rhumes et les grippes commencent souvent avec des mains froides. En hiver, une mauvaise circulation peut être traitée avec plusieurs types de phytothérapies visant à réchauffer le corps, tels que le Ginkgo biloba et la cayenne. L'aubépine est également reconnue pour ses bienfaits sur la circulation sanguine.

808 CALME DE MAGNOLIA

Un supplément d'extrait d'écorce de magnolia peut soulager l'anxiété, calmer les nerfs, réduire le stress et stimuler le métabolisme. Une prise régulière peut avoir des effets bénéfiques sur l'humeur et diminuer le taux de cortisol (l'hormone liée au stress). Des taux élevés de cortisol peuvent compromettre le système immunitaire et conduire à la perte de vitalité, à la prise de poids et à une tension artérielle élevée.

809 ADOUCIR LE LENDEMAIN DE VEILLE

Avec l'âge, votre corps aura besoin de plus en plus de temps pour récupérer après une soirée tardive. Si vous avez fêté jusqu'aux petites heures du matin, tant mieux! Mais sachez que votre peau aura moins de temps pour s'oxygéner, éliminer les déchets et se réparer. Un supplément à base d'herbes de blé, d'orge et de chlorelle vous redonnera les nutriments dont vous avez besoin pour retrouver votre vitalité.

maladies
et conditions
médicales

810 ANESTHÉSIANT NATUREL

Augmentez votre consommation de fruits et légumes biologiques et vous pourriez voir une diminution de vos maux de toutes sortes. Les fruits rouges comme la grenade sont particulièrement riches en antioxydants, qui ont la capacité de neutraliser les composantes chimiques qui causent la douleur et l'inflammation chroniques.

811 CHEZ LE MÉDECIN

À mesure que vous vieillissez, écoutez et apprenez à connaître votre corps. Passez régulièrement des examens de dépistage pour des maladies comme le cancer et les maladies cardiovasculaires, afin de les freiner avant qu'elles deviennent insurmontables.

812 UN FOIE EN SANTÉ

Le chardon-Marie comporte des bienfaits durables pour le foie. Des essais cliniques ont démontré qu'il peut prévenir et guérir les dommages au foie et avoir un effet sur la cirrhose et l'hépatite chronique.

813 LES PROBIOTIQUES

Les boissons probiotiques introduisent des « bonnes bactéries » dans le système digestif. La bactérie active Bifidobacterium bifidum BB-12 agit en symbiose avec les bonnes bactéries présentes dans l'intestin pour combattre et éliminer les bactéries néfastes. Ils contribuent à une bonne digestion et à soulager d'autres problèmes digestifs.

814 BOISSONS GAZEUSES

Si vous souffrez du syndrome du côlon irritable, évitez les boissons pétillantes; remplies de phosphates, ces boissons épuisent les réserves de minéraux du corps et interfèrent avec la digestion. Pour une meilleure digestion, optez pour de l'eau fraîche ou des jus.

815 LES PRÉBIOTIQUES

Les nouveaux produits prébiotiques sont une façon simple et efficace d'introduire des bactéries « amies » dans votre intestin. Ils stimulent la croissance des bactéries lactiques comme le Lactobacillus acidophilus et pourraient contribuer à diminuer le risque d'un grand nombre de maladies intestinales. Des sources naturelles de prébiotiques incluent le topinambour, l'ail, les oignons et les asperges.

816 SAVEZ-VOUS PLANTER DES CHOUX?

Une alimentation qui contient de bonnes quantités de légumes crucifères comme le brocoli, le chou vert frisé, le chou pommé, le chou-fleur et les pousses peut contribuer à une réduction de 50 % des risques de tumeurs cancéreuses car ils contiennent des isothiocyanates, qui favorisent l'élimination des éléments carcinogènes.

817 CHOU VERT FRISÉ

Peu connu, le chou vert frisé est néanmoins un superaliment riche en glucosinolates, des composés qui offrent une protection contre le cancer. Il contient plus de vitamine C qu'une orange (un élément essentiel pour des cheveux et une peau en santé) et est riche en fibres.

818 SOYEZ UNE ZONE NON-FUMEUR

À peine quelques semaines après avoir cessé de fumer, vous verrez une amélioration de la circulation sanguine. Celle-ci aura des répercussions positives sur l'apparence de votre peau et le niveau d'oxygène dans le sang. Vos poumons commenceront à éliminer du mucus, ce qui vous permettra de mieux respirer et d'augmenter votre niveau d'énergie.

819 GARDEZ VOTRE ŒIL DE LYNX

Avec l'âge, plusieurs souffrent de problèmes liés à la vue, dont la myopie, les cataractes et le glaucome. Pour des yeux en santé, augmentez votre consommation de lutéine, que vous trouverez dans des légumes comme les carottes, le brocoli, les épinards, les choux de Bruxelles et le chou vert frisé. La lutéine peut aider à diminuer les risques de cataractes et la dégénérescence maculaire.

820 PRÉCAUTIONS CONTRE LA GRIPPE

En vieillissant, votre vulnérabilité aux virus de la grippe et du rhume tend à augmenter, particulièrement durant la période des changements de saison. Donnez un coup de pouce à votre système immunitaire en prenant un supplément d'échinacée, et n'oubliez pas de vous faire vacciner contre le virus d'influenza.

821 DU CRESSON CONTRE LE CANCER

Le cresson est le tout dernier superaliment auquel on attribue des vertus protectrices contre les changements cellulaires menant au cancer. Il est également une source plus riche de vitamines C et B1, de calcium, de magnésium et de zinc qu'un grand nombre de légumes. Ces nutriments sont tous essentiels au maintien d'une peau et de yeux en santé.

822 MIEUX VIVRE LA MÉNOPAUSE

Ajoutez à votre menu des légumes contenant des phyto-œstrogènes comme le chou vert frisé, le fenouil, l'igname et tous les types de fèves. Essayez aussi les suppléments de trèfle violet; riches en isoflavones, ils pourraient aider à diminuer les symptômes de la ménopause et le taux de cholestérol.

823 SYSTÈME D

Fournie à travers l'alimentation, la vitamine D a besoin des rayons du soleil pour être synthétisée par l'organisme. Elle peut aider à atténuer les maux de dos et des articulations, et ralentir la progression de l'ostéoporose. Elle se trouve dans le lait et dans certains poissons comme le saumon et les sardines, alors faites-en provision!

824 REMÈDE ANTIQUE

L'ail est reconnu depuis des temps immémoriaux comme l'un des meilleurs remèdes offerts par Dame Nature. Il peut aider à réduire la tension artérielle, le cholestérol et les risques de problèmes cardiaques. De plus, l'ail stimule le système immunitaire et protège le corps des infections virales et bactériennes.

825 HORMONOTHÉRAPIE NATURELLE

Riches en phyto-œstrogènes, les suppléments d'herbe de Saint-Christophe et de graine de lin peuvent tous deux aider à réguler les hormones et à neutraliser les symptômes les plus courants de la ménopause. Les bienfaits de l'herbe de Saint-Christophe pour atténuer les symptômes pré-menstruels, l'arthrite, les douleurs musculaires et les sueurs nocturnes sont connus depuis longtemps. Plusieurs médecins recommandent un traitement de trois mois seulement. La graine de lin réduirait les risques de certains cancers, des maladies cardiovasculaires et de l'hypertension. Elle pourrait également réduire le taux de cholestérol et atténuer divers maux.

826 PRÉVENTION OSTÉOPOROSE

Afin de prévenir l'ostéoporose, une condition entraînant la courbure de la colonne vertébrale et des douleurs aux jambes, demandez à votre médecin si vous devriez prendre des suppléments de calcium. Optez pour des jus, de l'eau et des aliments additionnés de calcium.

827 ÉVITEZ L'ALCOOL ET LA CAFÉINE

Vous pourriez diminuer les bouffées de chaleur liées à la ménopause en éliminant complètement l'alcool, la caféine et les épices de votre alimentation. De plus, la caféine peut causer l'insomnie et une perte plus importante de calcium du corps.

828 LE SOJA CONTRE LA MÉNOPAUSE

Au Japon, où on consomme quotidiennement des produits à base de soja, les femmes ont seulement un tiers de chances de rapporter des symptômes liés à la ménopause comparé aux femmes occidentales. Le soja contient des phyto-œstrogènes qui aident à réguler le système hormonal. Alors pourquoi ne pas remplacer le lait dans votre café par du lait de soja ou encore inclure du tofu dans votre alimentation?

829 GAGNEZ EN ALTITUDE

Les gens de toutes nationalités et des deux sexes perdent en moyenne 1 cm à chaque décennie après l'âge de 40 ans, et encore davantage après 70 ans. L'activité physique, une saine alimentation et des traitements préventifs contre l'ostéoporose et l'affaiblissement des muscles peut aider à freiner ce phénomène.

830 VIVE LE CALCIUM

Assurez-vous un apport suffisant en calcium. Optez pour des jus, de l'eau et des aliments additionnés de calcium. Consommez du lait, du fromage, des yogourts et des légumes feuillus vert foncé. Les femmes en post-ménopause ont besoin de 1 200 à 1 500 mg de calcium par jour.

retrouver son énergie

831 ÉNERGISANT NATUREL

Pour un regain d'énergie santé, évitez les stimulants connus comme la caféine et l'alcool et optez pour le guarana, un stimulant naturel. Vendu dans les magasins d'aliments naturels sous forme de poudre ou de sirop, le guarana pourrait augmenter la concentration, combattre la fatigue et renforcer la résistance.

832 ÉNERGIE EN SACHET

Pour une dose instantanée d'énergie, gardez toujours dans votre sac une petite portion de noix et ou de graines. Ils sont riches en oméga-3 et oméga-6, les acides gras essentiels jouant un rôle vital dans le maintien de l'équilibre énergétique et le métabolisme du glucose.

833 BON MATIN

L'avoine est un aliment à faible index glycémique, il est riche en fibres et contient des vitamines B énergisantes, qui aident à transformer les hydrates de carbone en énergie utilisable. Le gruau d'avoine constitue un choix alimentaire excellent, tout comme les grains entiers et le riz brun.

834 SINGEZ LES SINGES

À l'instar des singes, qui sont connus pour leur niveau d'énergie très élevé, mangez des bananes! Elles fournissent du potassium, un électrolyte nécessaire pour maintenir la fonction du système nerveux et des muscles. Une alimentation riche en potassium est importante car cet élément se perd rapidement à travers la transpiration, particulièrement lors de périodes de stress ou d'exercices.

835 RÉSISTER À LA TENTATION

Selon une récente enquête, 15 h 09 est l'heure précise à laquelle le niveau d'énergie tombe. On tend alors à compenser par la consommation de produits riches en sucre pour combattre cette baisse d'énergie. Résistez à la tentation du sucre et de la malbouffe. Ayez à portée de la main des fruits frais, des noix ou des graines.

836 MINÉRAUX ÉNERGISANTS

Les boissons énergisantes comme le guarana, le jus de Noni et le thé yerba Maté promettent de fournir un regain d'énergie « naturelle », mais plusieurs d'entre elles contiennent de la caféine à cet effet. Il vaudrait mieux examiner votre consommation de fer et de magnésium, deux minéraux essentiels au maintien de l'énergie. Vous trouverez du magnésium dans les artichauts, le flétan de l'Atlantique, les fèves noires, les amandes et les épinards, tandis que les céréales de grain entier, les lentilles, l'avoine, le tofu et les légumes feuillus vert foncé sont de bonnes sources de fer.

837 OPTION NUTRITION

La fatigue et le manque d'énergie pourraient être liés à des carences nutritionnelles. Recherchez des aliments riches en vitamine B2 et en magnésium. Optez aussi pour des aliments qui contiennent l'antioxydant Q10 comme les grains entiers, les légumes, les noix et les fruits de mer.

838 THÉ ÉNERGIE

Une saine alimentation demeure le facteur le plus important pour maintenir un niveau d'énergie optimal. Des carences en vitamines B expliquent souvent l'affaiblissement de la glande surrénale, qui est responsable des baisses d'énergie. Optez pour un thé au ginseng ou à l'astragale en guise de petit remontant en après-midi.

problèmes de poids

839 ÉPICEZ VOTRE VIE

Les aliments très épicés peuvent aider le corps à brûler des calories. L'utilisation d'épices comme le poivre de Cayenne et le chili augmente la température du corps et fait battre le cœur plus rapidement, ce qui demande plus d'énergie.

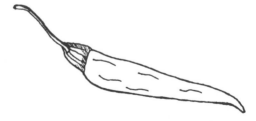

840 ÉVITEZ L'EXCÈS DE POIDS POUR VIVRE PLUS LONGTEMPS

Un surplus de poids augmente de 50 % les risques de mourir plus jeune. Chez les femmes, le surpoids accroît le risque d'hypertension artérielle, de cholestérol élevé, et de certains cancers. Ne comptez pas sur les régimes amaigrissants malsains pour perdre du poids : optez plutôt pour une alimentation saine et la pratique régulière d'activité physique.

841 NE BLÂMEZ PAS VOS PARENTS

La génétique compte pour environ 25 % de votre silhouette. Si vous souhaitez perdre quelques kilos, il vous faut adopter de saines habitudes de vie touchant votre alimentation et l'exercice. Si vous en avez les moyens, vous pouvez vous inscrire à des programmes de pertes de poids.

842 PRÉVENIR LES POIGNÉES D'AMOUR

Avec l'âge, un plus grand nombre de cellules adipeuses s'accumule autour des organes contenus dans l'abdomen et la proportion de graisse corporelle peut augmenter de jusqu'à 30 %. Réduisez votre consommation totale de calories, particulièrement celles provenant de gras.

843 EXERCICE ET CALORIES

Le corps change en vieillissant…et tend généralement à s'épaissir. Une alimentation équilibrée et réduite en gras devient essentielle, de même qu'un programme d'exercices qui aidera à augmenter le métabolisme et à brûler des calories, tout en renforçant les muscles.

844 CALORIES NÉGATIVES

Mangez du céleri! Le corps dépense davantage d'énergie pour digérer ce légume qu'il en gagne en calories.

845 MAINTIEN D'UN POIDS SANTÉ

Après l'âge de 40 ans, il est naturel pour une femme de prendre du poids, particulièrement durant la périménopause, la période précédant la ménopause. En moyenne, les femmes gagnent environ 0,5 kg par année durant cette période. Certaines études suggèrent également que la prise de poids durant cette période prédispose les femmes au cancer du sein. Faites de la prévention en réduisant votre consommation de calories et en augmentant votre niveau d'activité physique.

846 LA LOI DU 80-20

Des restrictions alimentaires draconiennes ne mèneront pas à un poids santé. Optez pour des aliments santé 80 % du temps, et, de temps à autre, donnez-vous un peu de flexibilité, par exemple lorsque vous sortez au restaurant ou lors d'un événement spécial. De cette façon, vous avez plus de chances de rester fidèle à vos bonnes résolutions et vous ne vous sentirez pas coupables chaque fois que vous vous offrez un petit plaisir.

847 L'IMPORTANCE DU PETIT-DEJ

Les nutritionnistes recommandent de ne jamais sauter le petit-déjeuner. Idéalement, le premier repas de la journée devrait fournir un quart des besoins quotidiens en calories. Les gens qui omettent de déjeuner sont plus susceptibles de compenser en mangeant des collations riches en calories et pauvres en nutriments un peu plus tard dans la journée.

848 OUI AUX OLIVES

Si vous avez envie d'une petite collation pour accompagner votre verre de vin à l'heure de l'apéro, optez pour des olives au lieu des croustilles. Il en existe une grande variété pour plaire à tous les goûts, mais elles sont toutes riches en acides gras essentiels et relativement pauvres en calories.

849 RÉGIME DODO

Des études récentes suggèrent que le manque de sommeil affecte les hormones qui régulent le ratio muscle-gras du corps. Si vous voulez maximiser votre métabolisme, visez huit heures de sommeil par nuit.

850 NON À LA SOUS-ALIMENTATION

Ne soyez pas tentée de sauter des repas pour maigrir. Le corps compte sur une alimentation répartie à intervalles réguliers pour maintenir son niveau d'énergie et éloigner la faim. En vous privant de nourriture, vous envoyez au cerveau le message de ralentir le métabolisme et de cesser de brûler des calories.

851 UNE BONNE NUIT DE SOMMEIL

Pour éviter les razzias de fin de soirée, installez un cadenas sur votre réfrigérateur! En mangeant juste avant de dormir des aliments calorifiques et longs à digérer comme le fromage ou la pizza, non seulement vous augmentez votre consommation de calories, mais vous empêchez également votre corps de profiter d'un sommeil profond.

852 MENU TROPICAL

L'ananas frais est un fruit fantastique qui aide à faire fondre la graisse. Il contient de la broméline, un enzyme qui favorise une bonne digestion et le traitement des protéines et des gras.

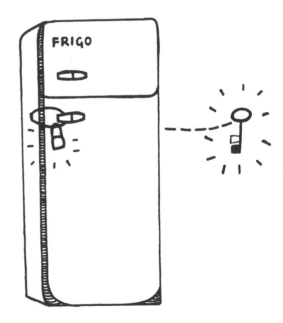

853 THÉ THERMIQUE

Le thé vert freine le processus du vieillissement et contrôle le ratio graisse-muscle du corps en favorisant la thermogénèse, un procédé par lequel la chaleur corporelle brûle la graisse, augmentant du même coup le taux métabolique.

854 REPAS LÉGERS ET FRÉQUENTS

Le cortisol est l'hormone responsable de l'entreposage de la graisse dans le corps. Or, plus vous espacez vos repas, plus votre taux de cortisol sera élevé. En mangeant régulièrement toutes les trois heures, vous diminuerez la production de cortisol et favoriserez ainsi l'équilibre de votre métabolisme.

855 COLLATIONS SANTÉ

Il vaut mieux s'alimenter de repas simples et légers espacés à intervalles réguliers dans la journée que de se priver de nourriture jusqu'à 18 heures pour ensuite consommer un repas lourd et copieux. Ayez toujours à portée de la main des collations santé : fruits, galettes de riz, noix ou graines.

détox santé

856 *PATCH* AU PIED

Libérez vos toxines par les pieds! Faites à base de tourmaline, d'eucalyptus et de vinaigre de bambou, les *patchs* détox doivent être collées sous la plante des pieds. Agissant durant la nuit, elles extraient les impuretés et favorisent un regain d'énergie au petit matin.

857 JEÛNE DE 24 HEURES

La pratique occasionnelle d'un jeûne de 24 heures est un procédé de purification reconnu, qui a des bienfaits pour toutes les parties du corps. Tous les organes profitent d'un repos bien mérité, durant lequel les tissus sont purifiés et ont la chance de se renouveler. Choisissez une journée sans obligations pour vous reposer calmement à la maison.

858 ÉLIMINEZ LES TOXINES

Un programme détox bénéfique pour le foie consiste à doubler la quantité d'eau que vous consommez quotidiennement afin d'éliminer les toxines de votre système. Augmentez également votre consommation de tisanes, de jus de légumes et de fruits frais.

859 DÉTOX BIO

Si vous décidez d'entreprendre un programme détox, ne serait-ce que pour 24 heures, choisissez toujours des fruits et des légumes bio. Autrement, vous ne ferez que remplacer les toxines que vous tentez d'éliminer avec d'autres provenant de résidus de pesticides.

860 C'EST MEILLEUR CRU

Les aliments frais sont remplis de vitamines, de minéraux, de protéines et d'enzymes actifs. La cuisson détruit tous les enzymes et rend plus de 85 % des nutriments non disponibles. L'option la plus nutritive pour la santé demeure les aliments crus. Ils nettoient et renouvellent le corps, rendant les cheveux plus lustrés, les yeux plus clairs et les fonctions corporelles plus efficaces.

861 DÉTOX CITRON

L'huile de citron vert est excellente pour stimuler un système paresseux, favorisant ainsi la perte de poids. Le romarin est également recommandé car il favorise la lucidité et améliore la concentration.

862 SAINES HABITUDES

Essayez de réduire la quantité d'aliments transformés que vous consommez. Ces aliments sont riches en sucre, en sel et en additifs et pauvres en nutriments. Diminuez également votre consommation d'alcool, de caféine et de nicotine. Votre corps pourra alors se nettoyer, et vous vous sentirez énergisée et rajeunie. Ce plan détox favorise la fonction digestive et permet au foie et aux reins de se nettoyer.

863 NATUROPATHIE

Cette thérapie est basée sur l'idée que le stress, la pollution, le manque de sommeil, la sédentarité et les mauvaises habitudes alimentaires entraînent l'accumulation de toxines dans le corps. Des traitements non-invasifs comme le massage, l'hydrothérapie, la médecine alternative et la modification des habitudes alimentaires sont utilisés afin que le corps retrouve son équilibre.

864 CONSULTEZ VOTRE MÉDECIN

Avant d'entamer un traitement détox, il faut toujours consulter un médecin. La détoxification n'est pas recommandée aux personnes souffrant de diabète, de problèmes de foie, d'ulcères intestinaux ou suivant un traitement de warfarine.

865 JUS DE FRUITS

L'extraction de jus constitue une façon ultra-simple et savoureuse de consommer des fruits et des légumes frais tous les jours. Choisissez les aliments les plus frais possibles, et consommez leur jus immédiatement après l'extraction car le processus d'oxydation, qui détruit les propriétés nutritives des vitamines, des minéraux et des antioxydants, commence rapidement. Les carottes et les pommes sont parmi les meilleurs ingrédients pour faire des jus.

866 100 % FRUIT

Pour maximiser l'apport nutritif des fruits et des légumes lors de l'extraction, utilisez toutes les parties de l'aliment : feuilles, pelures, queues, racines. Choisissez toujours des produits biologiques.

867 LE POUVOIR DES ENZYMES

Les enzymes sont des protéines spéciales qui agissent comme catalyseurs dans presque tous les processus régulant un corps en santé. Ils aident à combattre le vieillissement, à perdre du poids, à diminuer le cholestérol et à éliminer les toxines. La cuisson des aliments détruit une partie de leurs propriétés bénéfiques.

bonnes habitudes

868 GLYCÉMIE SANTÉ

Il est possible d'avoir la peau radieuse, un poids santé et une énergie débordante en maintenant un taux de glycémie stable. Mangez cinq repas légers dans la journée pour favoriser un taux de sucre équilibré.

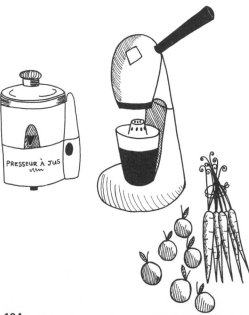

PRESSEUR À JUS

869 LE DANGER DES RÉGIMES

Des études menées au London Institute of Optimum Nutrition ont démontré que les femmes en sous-poids et suivant des régimes amaigrissants très restrictifs ont toujours des carences en vitamines et minéraux et vieillissent beaucoup plus rapidement. Mangez trois repas par jour pour une santé optimale.

870 NOMBRE MINIMUM

Le Guide alimentaire canadien a récemment augmenté le nombre minimal de portions de fruits et légumes recommandé de 5 à 7 par jour. En France, on recommande 10 portions par jour. Les recommandations varient d'un pays à l'autre, mais tous s'entendent pour dire qu'une consommation généreuse d'une grande variété de fruits et de légumes est cruciale pour maintenir une bonne santé.

871 L'INDEX GLYCÉMIQUE

Le taux auquel les différents aliments à base d'hydrates de carbone libèrent du glucose dans le sang a une influence sur le niveau d'énergie. L'index glycémique est un système qui classe les aliments contenant des glucides en leur donnant une valeur entre 1 et 100 selon leurs effets à court terme sur la glycémie.

872 AVANT 19 H

Suivez la règle royale : offrez-vous un petit-déjeuner d'empereur, un déjeuner de roi et un souper de mendiant. Votre dernier repas de la journée devrait être le plus léger. Il devrait également être consommé tôt dans la soirée afin d'éviter que la nourriture reste dans l'estomac toute la nuit, au moment où le métabolisme fonctionne au ralenti.

873 LE BRUN EST BIEN MEILLEUR

À l'épicerie, privilégiez les aliments bruns lorsque vous avez le choix. Presque tous les aliments blancs ont subi maintes transformations et fournissent moins de nutriments et plus de sucres que leur version à grains entiers et non blanchie. Le pain, les pâtes, la farine et le pita offrent tous un meilleur apport nutritionnel en version originale brune.

874 OPTION BIO

Optez pour des aliments biologiques le plus souvent possible. Lavez toujours vos fruits et légumes sous le robinet avant de les manger afin d'enlever les résidus de pesticides qui peuvent assujettir la peau à des niveaux excessifs de radicaux libres.

875 BONS GRAS, BELLE PEAU

Une alimentation riche en gras essentiels provenant de poissons gras, d'avocats, de graines et de noix améliorera l'apparence et la texture de votre peau. Les gras non saturés favorisent une peau douce et lisse.

876 OFFREZ-VOUS DU LAIT BIO

Des études récentes ont démontré que le lait biologique est 50 % plus riche en vitamine E et 75 % plus riche en bêta-carotène que le lait ordinaire. Il pourrait vous aider à stimuler votre système immunitaire et combattre les radicaux libres, les grands responsables de la formation de rides.

877 FRUITS DE MER

Tous les types de fruits de mer contiennent de petites quantités de cuivre, dont le corps a besoin pour fabriquer des fibres de collagène et d'élastine. Ces deux ingrédients travaillent en synergie avec d'autres protéines pour donner à la peau son élasticité et sa fermeté.

878 SOYEZ RAISONNABLE

Un régime amaigrissant très restrictif du point de vue des calories pourrait vous faire perdre certaines fonctions du cerveau. Des taux suffisants de magnésium, de vitamine B et de gras essentiels sont nécessaires à la production d'hormones et au fonctionnement optimal du cerveau. Les régimes draconiens sont associés à l'affaiblissement de certaines fonctions du cerveau comme celle de penser rationnellement.

879 ZEST DE CITRON

Une tasse de thé au citron démarre bien la journée. Il donne un bon coup de pouce au métabolisme après une nuit de sommeil, aide la digestion et favorise le nettoyage du foie et de l'estomac. Il est également une excellente source de vitamine C.

880 PROTÉINES ANTI-RIDES

Pour retarder l'apparition des rides, votre alimentation doit contenir des sources suffisantes de protéines. L'élastine est une protéine naturelle de la peau et a besoin d'un apport quotidien en protéines pour maintenir la souplesse de la peau (le corps est incapable d'entreposer les protéines).

881 COLLATION VAN GOGH

Lorsque vous avez un petit creux, optez pour une portion de graines de tournesol au lieu d'une tablette de chocolat. Riches en composés naturels qui peuvent diminuer le taux de cholestérol, elles sont également remplies de vitamines et de minéraux qui favorisent une peau et des cheveux en santé.

882 ÉNERGIE RENOUVELABLE

Le corps a besoin d'être alimenté toutes les trois heures pour garder son taux de glycémie à un niveau adéquat, stimuler le métabolisme et stabiliser l'humeur. Évitez de manger des repas trop copieux pour vous donner de l'énergie, car le corps devra travailler plus fort pour le digérer, ce qui entraînera de la fatigue.

883 CROUSTILLES SANTÉ

Vous cherchez un amuse-gueule savoureux et nutritif? Essayez les croustilles de bananes séchées. Elles sont riches en hydrates de carbone, en fer et en magnésium, et elles contiennent des sucres naturels qui donnent à votre corps une dose d'énergie quand vous en avez besoin. Pour une collation plus substantielle, combinez avec du yogourt nature.

884 LA PROSTAGLANDINE

Afin d'améliorer l'apparence et la texture de votre peau, privilégiez une alimentation riche en gras non saturés essentiels, que vous trouverez dans les poissons gras, les avocats, les noix et les graines. Les cellules de la peau convertissent ces gras en prostaglandine, une hormone qui contribue à rendre la peau souple et hydratée.

885
LE BRUN EST BIEN MEILLEUR

À l'épicerie, privilégiez les aliments bruns lorsque vous avez le choix. Presque tous les aliments blancs ont subi maintes transformations et fournissent moins de nutriments et plus de sucres que leur version à grains entiers et non blanchie. Le pain, les pâtes, la farine et le pita offrent tous un meilleur apport nutritionnel en version originale brune.

886
RECONNAÎTRE LA SOIF

Continuez à boire de l'eau, car un grand nombre de personnes méprennent les signes de la soif pour des signes de la faim. Le corps est constitué de presque 80 % d'eau. Un simple verre d'eau sera bénéfique pour presque tous les organes du corps, incluant la peau.

887
PROTÉINES POUR LES ONGLES

Si vous ongles se cassent et se déchirent constamment, il est possible que ce soit un signe d'une carence en protéines dans votre alimentation. Les aliments riches en protéines incluent la viande, le poulet, le poisson et le soja. Un vernis enrichi en protéines pourrait également aider à fortifier les ongles.

la liste noire

888
ÉLIMINEZ LA CAFÉINE

Ne prenez pas du café ou du thé pour vous donner de l'énergie. La caféine peut certes vous donner une petite dose d'énergie, mais les effets sont temporaires, tandis que les dommages qu'elle cause dans votre système (déshydratation, interférence avec l'absorption des vitamines et minéraux) sont bien plus importants et durables.

889
NEZ ROUGE

La consommation excessive d'alcool déshydrate le système et entraîne le vieillissement prématuré de la peau. Une quantité trop importante d'alcool dans le système dilate les vaisseaux sanguins dans la peau, ce qui augmente le flux sanguin près de sa surface. Avec le temps, ces vaisseaux sanguins deviennent endommagés et donnent à la peau des rougeurs permanentes.

890
RENONCER AU SUCRE BLANC

La recherche scientifique a fini par démontrer ce que nous savons depuis longtemps : le sucre blanc est mauvais pour la santé. Des études ont démontré que la consommation excessive de sucre blanc favorise le vieillissement prématuré, particulièrement dans la région du contour des yeux, où la peau est fragile et devient facilement ridée.

891 ADIEU MALBOUFFE

Les hydrates de carbones hautement raffinés comme les gâteaux, les biscuits et les gâteries, de même que les mets préparés font des ravages dans le système. La consommation régulière de tels aliments rend le corps léthargique car ils sont remplis d'additifs et d'agents de conservation chimiques.

892 LES NUMÉROS E

Lisez attentivement les étiquettes des aliments afin d'identifier des ingrédients cachés portant des numéros comme tartrazine E102. Évitez le plus possible ce genre d'additifs chimiques. Les colorants et les agents de conservation peuvent interagir avec le système immunitaire, accélérant le processus de vieillissement et favorisant potentiellement les changements cellulaires carcinogènes.

893 CONSOMMATION MODÉRÉE

Votre consommation d'alcool ne devrait pas dépasser les limites recommandées (deux ou trois unités d'alcool par jour pour les femmes). Lorsque vous consommez de l'alcool, essayez de boire un grand verre d'eau avant de vous coucher. L'alcool est un diurétique qui déshydrate le corps et fait vieillir prématurément la peau.

les bienfaits
du sommeil

894 ÉVITEZ LES STIMULANTS

Le manque de sommeil peut avoir un impact négatif sur le corps, l'esprit et l'apparence. Il rend la peau terne et les yeux bouffis et fatigués. Évitez les stimulants comme l'alcool, la nicotine et la caféine en soirée, car ils affectent le système nerveux et perturbent les cycles du sommeil.

895 ADOPTEZ UNE ROUTINE

L'établissement d'une routine régulière avant le coucher entraîne le corps à dormir à la même heure tous les jours. Favorisez une détente maximale en prenant un bain relaxant dans une eau tiède infusée d'huile essentielle de lavande.

896 MENU À L'ITALIENNE

Les hydrates de carbone sont essentiels au maintien d'un corps en santé. Un repas du soir qui contient un féculent peut aider à augmenter le taux de sérotonine, un médiateur chimique du système nerveux qui contrôle le sommeil.

897 MOMENT DE DÉTENTE

Les scientifiques savent que la détente est essentielle à la santé du corps, qui en a besoin pour se réparer et se régénérer. L'état de détente permet au cerveau de produire des « molécules de bonheur », stimule le système immunitaire et favorise la réparation et la formation des tissus.

898 8 HEURES

Pour un sommeil réparateur, dormez si possible entre 22 h et 6 h. Les premiers quatre heures servent à la régénération physiologique. La deuxième moitié sert à recharger les fonctions mentales et émotionnelles. Vous vous réveillerez en pleine forme, la peau et les idées rafraîchies.

899 FAITES UNE LISTE

Si vous avez de la difficulté à vous endormir car vous avez la tête remplie des inquiétudes de la journée, levez-vous et faites une liste de tout ce qui vous tracasse. Mettre un peu d'ordre dans vos idées vous aidera à glisser dans un sommeil réparateur.

900 LAIT CHAUD

Une tasse de lait chaud à l'heure du coucher favorise bel et bien le sommeil car il contient des tryptophanes, des acides aminés qui agissent comme précurseurs de la mélatonine et de la sérotonine, les hormones qui déclenchent le sommeil.

901 POLLUTION SONORE

Une des plus grandes entraves à une bonne nuit de sommeil est le bruit. Dans la mesure du possible, essayez de vous isoler de tout bruit lorsque vous vous couchez, même si vous devez avoir recours à des bouchons d'oreille. Pour être vraiment réparatrice, la nuit nécessite plusieurs heures de sommeil ininterrompu.

902 STIMULEZ LA MÉLATONINE

Le processus du vieillissement peut brouiller les cycles de sommeil, mais plusieurs chercheurs ont trouvé que la mélatonine comporte une longue liste de bienfaits : elle augmente la longévité, favorise le sommeil profond et réparateur, ralentit la détérioration cellulaire et le vieillissement, stimule le système immunitaire et améliore le niveau d'énergie. Rehaussez votre taux naturel de mélatonine en dormant dans l'obscurité.

903 S'ENDORMIR NATURELLEMENT

La valériane est une plante utilisée depuis des temps immémoriaux comme remède naturel aux problèmes de sommeil. On croit qu'elle soulage l'anxiété et favorise l'endormissement de façon naturelle et sans créer de dépendance.

904 DODO SUR LE DOS

Prenez l'habitude de dormir sur le dos. C'est la meilleure position pour se détendre et elle permet à tous les organes internes de se reposer adéquatement.

905 LE REPOS DU CERVEAU

Selon des recherches menées à l'Université de Princeton pour l'Organisation Mondiale de la Santé, le manque de sommeil pourrait empêcher le cerveau de produire des nouvelles cellules et affecter négativement la partie du cerveau appelée l'hippocampe, qui est responsable des activités cognitives liées à la mémoire. Les personnes d'âge mûr devraient dormir au moins sept heures par nuit. Si vous vous réveillez spontanément le matin sans l'aide d'un réveille-matin, c'est que vous avez assez dormi.

906 PARFUM DE NUIT

Une chambre munie d'une fenêtre entrouverte favorise une bonne nuit de sommeil. Les odeurs inattendues perturbent les cycles de sommeil et augmentent le rythme cardiaque et les ondes cérébrales. Parsemez quelques gouttes d'héliotropine ou de fragrance vanille-amande sur votre oreiller pour favoriser un sommeil ininterrompu.

thérapies bien-être

907 DÉTENTE THERMALE

Les oreillers chauffants sont fantastiques pour réduire le stress et la tension. Chauffés au four micro-ondes, ces oreillers génèrent une chaleur qui pénètre dans les muscles tendus du cou, apaisant les douleurs, soulageant les maux de tête et diminuant du même coup les rides de froncement de sourcil.

908 VIVA LA SIESTA

La tradition méditerranéenne de la sieste recèle d'immenses bienfaits pour la santé, surtout lorsqu'on vieillit. Une petite sieste entre 15 h et 17 h, durant laquelle vous changez de vêtements et vous étendez dans votre lit, vous rendra plus énergique, alerte et enthousiaste au réveil.

909 REPOSANTE LAVANDE

Placez un petit sachet de lavande dans votre lit pour favoriser un sommeil profond et réparateur. La lavande est associée à une réduction de l'anxiété et à un sentiment généralisé de bien-être.

910 SCULPTER UN VENTRE PLAT

Massez régulièrement votre propre ventre à l'aide d'huiles essentielles afin de démarrer votre système de drainage lymphatique et briser les dépôts de graisses. Utilisez la paume de la main et faites de petits mouvements circulaires avec une touche légère afin de ne pas endommager les organes internes.

911 SE CALMER LES NERFS

Les situations sociales sont stressantes pour vous? Vous rougissez facilement? Essayez de stimuler le point d'acuponcture sur le dessus de votre tête afin de restaurer votre équilibre émotionnel et soulager l'anxiété.

912 L'IMPORTANCE DE LA RESPIRATION

Une bonne respiration bien rythmée peut être accomplie avec un peu de pratique. Une respiration contrôlée et régulière renforce le système respiratoire, réduit le chaos dans la tête et apaise le système nerveux. Vous ressentirez un plus grand calme intérieur et un sentiment de contrôle sur votre vie.

913 EXPLOREZ LES POSSIBILITÉS

Si vous vous intéressez aux médecines alternatives, trouvez-vous un bon naturopathe. Leurs compétences incluent l'homéopathie, l'herboristerie et la nutrition. Un praticien chevronné tentera de découvrir les problèmes sous-jacents à vos symptômes, au lieu de vous donner sur-le-champ une prescription qui ne sera qu'une solution à court terme.

914 ESSENCES APAISANTES

Les huiles essentielles peuvent aider à soulager la tension et le stress. Essayez la lavande, la camomille, le géranium, la menthe verte ou la menthe poivrée. Ajoutez une huile essentielle à votre eau de bain ou inhalez quelques petites gouttes imbibées dans une ouate de coton.

915 HYDROTHÉRAPIE

Vous pouvez profiter des bienfaits de l'hydrothérapie sans avoir recours à une séance dispendieuse au spa. Dans le confort de votre maison, sous la douche, utilisez des variations de températures pour démarrer le système, stimuler la lymphe et la circulation sanguine et renforcer le système immunitaire.

916 DE BONNES VIBRATIONS

Stimulez les terminaisons nerveuses de votre tête à l'aide d'un appareil de massage électrique ou manuel afin de soulager les maux de tête et de cou et de détendre les épaules. Une diminution de la tension musculaire dans cette région favorise aussi la réduction de certaines rides d'expression, comme les rides de froncement de sourcils.

917 AROMATHÉRAPIE

L'aromathérapie est un système de soins du corps qui utilise des huiles essentielles végétales provenant de partout dans le monde et dont les propriétés curatives et thérapeutiques aident à soulager la douleur, à soigner la peau et à réduire la tension. Les huiles essentielles peuvent être ajoutées à l'eau du bain, utilisées en combinaison avec une huile de massage, inhalées directement ou appliquées en compresse.

918 MASSAGE DES MAINS

Lorsque vous appliquez une crème à mains, portez une attention particulière à la peau entre le pouce et l'index. Selon la médecine traditionnelle chinoise, cette région constitue un point de pression important qui peut être utilisé pour stimuler le système lymphatique et soulager les maux de tête.

919 REVIVRE DANS LA MER MORTE

Planifiez un voyage en Israël pour vous imprégner des vertus curatives de la mer Morte, ou encore procurez-vous des Sels de la mer Morte. La peau bénéficiera des propriétés médicinales des sels et de la boue, qui amélioreront son apparence et son élasticité.

920 TRAITEMENT NATUREL

L'homéopathie pourrait être un traitement efficace pour l'ostéoarthrite, une maladie dégénérative des articulations. Consultez un praticien qui pourra recommander le remède et la dose appropriés, qui stimuleront les pouvoirs curatifs du corps afin de vaincre les symptômes de la maladie.

921 TRAITEMENTS COMPLÉMENTAIRES

Il existe une grande variété de thérapies et de traitements en médecine douce, de même que des praticiens prêts à fournir toutes sortes de remèdes pour toutes sortes de problèmes. Des preuves scientifiques robustes se font toujours attendre, mais de plus en plus de gens sont convaincus qu'une approche holistique à la santé et à la beauté donne les meilleurs résultats.

922 EN DIRECT D'HOLLYWOOD

À l'instar de plusieurs célébrités hollywoodiennes, essayez un traitement aux ventouses. Utilisées dans la médecine traditionnelle chinoise, les ventouses sont appliquées à des endroits précis sur le corps correspondant à des points d'acupuncture afin d'éliminer les toxines. Ce traitement contribue à soulager les douleurs musculaires et les problèmes digestifs.

923 VISION GLOBALE

La thérapie holistique prend en considération la globalité de l'être avant d'établir un diagnostic et un programme de traitement. Il vous faut examiner toutes vos habitudes de vie, incluant l'alimentation, l'exercice, les suppléments, les médicaments, les cycles de sommeil, et les relations interpersonnelles.

924 DOUCHE ÉCOSSAISE

Alternez la température de l'eau de la douche entre tiède pendant deux minutes et glaciale pendant 30 secondes. Répétez plusieurs fois. Essayez de ne pas retenir votre souffle pendant la douche froide afin de ne pas interférer avec l'adaptation du corps au changement de température. Terminez en vous rinçant le visage à l'eau froide. Votre peau pétillera de fraîcheur et vous vous sentirez plus énergique durant toute la journée.

925 ALGUES MARINES

Optez pour des huiles de bain infusées d'algues marines. Thérapeutique, un bain dans une eau tiède aux algues marines peut réduire la tension, stimuler la circulation et aider à éliminer les toxines du corps.

926 MASSAGE DU CRÂNE

Les maux de dos et d'épaules causés par d'interminables heures passées devant un écran d'ordinateur entraînent des tensions et se reflètent souvent dans les rides du visage. Originaire de l'Inde, le champissage est une technique de massage traditionnel qui utilise la pression du pouce et des doigts pour masser la tête. Ce traitement contribue à améliorer la circulation sanguine, soulage la tension et favorise un état de détente dans le corps en entier.

927 ACUPONCTURE

Ayant pour but de rééquilibrer le « chi », l'énergie vitale du corps, l'acuponcture consiste à insérer des aiguilles minuscules dans des points spécifiques du corps, appelés « méridiens », afin de libérer l'énergie bloquée. On l'utilise pour traiter les migraines, les maux de dos, l'ostéoarthrite, le syndrome du côlon irritable, les problèmes de peau, la dépression et les dépendances.

928 HOMÉOPATHIE

Les études scientifiques à propos de l'homéopathie sont peu concluantes, mais de nombreux témoignages suggèrent qu'elle peut donner d'excellents résultats. Fait sur mesure pour chaque individu, le traitement consiste à prendre des doses infimes d'extraits de plantes et de minéraux sous forme de gouttes.

929 ÂYURVEDA

L'Âyurveda est une médecine traditionnelle indienne qui incorpore une grande variété de traitements incluant le massage, la nutrition et l'exercice afin de restaurer et de revitaliser le corps. Elle utilise les propriétés curatives des plantes, des herbes médicinales et des huiles essentielles pour améliorer la peau et apaiser la tension, le stress et les émotions affectant la santé au quotidien.

930 IMPOSITION DES MAINS

Favorisant un état de relaxation et de calme, le toucher thérapeutique est une technique de médecine douce qui agit sur le flux énergétique en retirant l'énergie négative du corps et en canalisant l'énergie positive. Le thérapeute place ses mains très près de la peau, puis les bouge au-dessus du corps sans le toucher.

931 SANS AIGUILLES SVP

L'acupression est une approche traditionnelle chinoise qui combine le massage et l'acuponcture. Elle fonctionne en libérant l'énergie bloquée localisée dans les lignes de méridien qui sillonnent le corps. À l'aide de ses pouces, le praticien exerce une pression sur les méridiens situés sur des trajets nerveux, sanguins ou lymphatiques dans le but de débloquer l'énergie et d'éliminer les toxines.

932 MASSAGE AUX PIERRES CHAUDES

Les Chinois utilisent le massage aux pierres chaudes pour soulager les douleurs musculaires depuis des millénaires. Lors d'un traitement de géothermothérapie, le thérapeute place des pierres de basalte chauffées à l'eau sur des points précis le long de la colonne vertébrale. La chaleur directe et le massage profond augmentent le flux sanguin, détendent les muscles et favorisent la détoxification du foie et des reins. Et c'est très, très relaxant.

933 CRISTAUX THÉRAPEUTIQUES

Les guérisseurs affirment que chaque organisme vivant possède un « système d'énergie vibrationnelle », qui inclut les chakras, les corps subtils et les méridiens. En utilisant les cristaux appropriés, le guérisseur peut calibrer le système énergétique, rééquilibrer les énergies et favoriser le bien-être.

934 THÉRAPIE DES COULEURS

La chromothérapie est une approche de médecine douce qui utilise la couleur et la lumière pour équilibrer les énergies émotionnelles, spirituelles et physiques. On la combine souvent avec l'hydrothérapie et l'aromathérapie pour provoquer une réaction émotionnelle.

935 LES VERTUS DE L'OCÉAN

La thalassothérapie est l'ensemble des traitements utilisant des ingrédients de la mer comme les algues, la boue et les minéraux, qui sont tous riches en sels minéraux, en oligoéléments et en acides aminés. Chacun des types de traitement est conçu pour tonifier, hydrater et revitaliser le corps et la peau. Les nutriments de la mer sont transmis au corps pour une amélioration visible de la peau et de la circulation sanguine.

936 RÉFLEXOLOGIE

Selon cette approche holistique qui englobe tous les aspects du corps et de l'esprit, le thérapeute exerce des pressions à l'aide de son pouce et de ses doigts sur certains points précis des mains et des pieds qui correspondraient aux organes internes. La réflexologie stimule les méridiens bloqués afin de favoriser un mieux-être général et de soulager des maux particuliers.

relaxation et mieux-être

937 HYPNOTHÉRAPIE

Pour réduire le stress et les crises de panique, procurez-vous un CD d'hypnothérapie. Étendez-vous calmement et laissez-vous aller au gré de la voix paisible qui vous parle. Toutes vos inquiétudes se dissiperont, de même que le chaos qui sévit dans votre tête. Avec un effet positif sur les rides du visage!

938 QUAND CHERCHER DE L'AIDE

Consultez un professionnel si la colère, la jalousie et la culpabilité vous consument. Ces émotions agissent comme un poison sur le corps et l'esprit et pourraient éventuellement mener à des maladies liées au stress.

939 VISUALISATION POSITIVE

Prenez cinq minutes par jour pour vous asseoir calmement et visualiser une situation dans laquelle vous ressentez du bonheur et de la sérénité. Ce genre d'état méditatif permet de réduire le stress, la tension et l'anxiété liés au train de vie effréné de la vie moderne. Vous réduirez du même coup les rides et les maux de tête causés par le stress.

940 PENSÉE POSITIVE

La thérapie cognitive béhaviorale affirme que les attitudes et les croyances négatives sont des mécanismes de pensée malsains qui ont été appris sur de longues périodes de temps. Cette approche tente de renverser ces mauvaises habitudes et encourage une pensée plus positive, orientée vers l'action.

941 LANGAGE OPTIMISTE

Certains mots (« peux pas », « devrais pas », etc.) ont une connotation négative et leur emploi régulier reflète une vision pessimiste de la vie. Essayez une approche plus positive. Des études ont démontré que les gens optimistes sont en meilleure santé, ont des quantités plus élevées d'anticorps et ont davantage d'énergie.

942 MÉDITATION ASSISE

Prenez une pause du monde matériel en pratiquant la méditation. Assoyez-vous les jambes croisées en lotus pendant 10 minutes par jour; écoutez le son de votre propre respiration, chaque inspiration, chaque expiration; libérez-vous de votre bagage émotionnel. Vous vous sentirez plus calme, plus optimiste.

943 ÉVITEZ LES CONFLITS

Les disputes et l'hostilité stimulent la production du cortisol, l'hormone liée au stress. Cette hormone augmente le taux glycémique et des taux élevés de cortisol augmentent les dépôts de gras dans le corps, particulièrement autour du ventre. Les conflits sont inévitables dans la vie, mais essayez certaines techniques de thérapie cognitive béhaviorale pour réduire les sentiments négatifs qui les accompagnent.

944 PAISIBLE SOLITUDE

Passez du temps avec vous-même. Faites le vide et prenez conscience du monde qui vous entoure. Cette approche est bénéfique pour la santé mentale et physique si vous la pratiquez régulièrement.

945 CHANTS MÉDITATIFS

Les chants méditatifs atténuent les émotions négatives comme la colère, l'envie, l'ennui et l'avidité. Le processus favorise une sorte de bonheur intérieur suscité par les vibrations sonores transcendantales des chants.

946 PETITE BOULE D'AMOUR

La compagnie d'un animal domestique constitue sans doute la façon la plus agréable de combattre le stress…dans la mesure où vous ne souffrez d'aucune allergie! Les chiens font disparaître la mauvaise humeur; ils sont de bonne compagnie, donnent de l'amour inconditionnellement et encouragent à passer du temps au grand air.

947 ARRÊT DANS LE TEMPS

Évadez-vous le temps d'un week-end ou d'une semaine dans un spa, une retraite spirituelle ou un refuge campagnard où vous pourrez aussi profiter des thérapies et traitements offerts. Vous ferez l'expérience d'une relaxation absolue, développerez votre force intérieure et en sortirez entièrement rafraîchie.

948 RETOUR VERS SOI

Développez une plus grande conscience de vous-même, apprenez à connaître votre moi intérieur afin d'être capable d'identifier et de différencier les émotions que vous ressentez au quotidien. Une technique de visualisation simple pour faire le vide consiste à imaginer un ciel bleu et une plage de sable blanc. Placez-vous dans cette situation ensoleillée et vivez-en pleinement les émotions.

949 ISOLEZ VOS MUSCLES

Prenez l'habitude d'utiliser des techniques de relaxation comme la relaxation musculaire progressive. Cette technique consiste à contracter chacun des muscles du corps l'un après l'autre pendant 10 secondes; puis décontractez. La pratique régulière de cette technique peut améliorer le système immunitaire et l'endurance, et diminuer les risques d'une crise cardiaque.

950 COORDINATION ET ALIGNEMENT

La méthode Pilates utilise une série de mouvements lents et contrôlés qui aident à améliorer la coordination. Cette méthode enseigne à prendre conscience de chaque partie du corps, de la respiration et de l'alignement de la posture. En apprenant à relaxer profondément, vous serez capable de réduire le stress dans toutes les sphères de votre vie.

951 SURABONDANCE D'INFORMATION

La plupart d'entre nous souffrent de sur-stimulation dans notre vie quotidienne. Mettez-vous au défi de ne pas regarder la télévision ni de lire les journaux pendant une semaine. Éteignez votre téléphone cellulaire pendant quelques heures chaque jour et limitez le temps que vous passez à vérifier vos courriels à la maison.

952 LA CHALEUR D'UN BAIN

Nettoyez votre corps et votre esprit dans le calme en prenant un bain apaisant. Ajoutez un lait hydratant à l'eau du bain et laissez-vous dériver, laissant tous vos problèmes se dissiper avec la vapeur.

penser jeune

953 JEUX DE MÉMOIRE

Gardez votre cerveau en santé en faisant travailler votre mémoire. Après une sortie, revivez l'événement dans votre tête : l'intrigue du film, les costumes, la mise en scène. Ou si vous assistiez à une réception, essayez de vous rappeler des détails à propos de tous les individus que vous avez rencontrés. Utilisez des indices visuels pour stimuler la mémoire. Plus ces détails seront insolites, plus ils vous aideront à vous remémorer les informations qui y sont associées plus tard.

954 L'ART DE JONGLER

Selon une étude du Trinity College à Dublin, le fait de jongler avec plusieurs tâches simultanément aide à garder l'esprit jeune et actif. En vieillissant, on tend à se mettre de moins en moins au défi intellectuellement, alors l'effort requis pour s'occuper de plusieurs choses en même temps s'avère un excellent exercice pour le cerveau.

955 UN CERVEAU EN FORME

Relevez constamment de nouveaux défis : adonnez-vous à un nouveau passe-temps, apprenez une nouvelle langue, lisez davantage. Des études ont démontré que les cellules du cerveau ont besoin d'exercice au même titre que celles du corps pour rester jeunes et en santé.

956 BINGO!

Pratiquer des activités qui gardent le cerveau actif favorise le maintien de la vivacité mentale. Des études ont démontré que les gens qui jouent au Bingo sont plus rapides et précis dans des épreuves mentales que ceux qui ne jouent pas. On croit aussi que l'agilité mentale contribue à éloigner la dépression et les maladies dégénératives du cerveau.

957 STIMULER LES SENS

Pratiquez une activité mentale tous les jours afin d'éviter l'affaiblissement de la mémoire et de la pensée. Le déclin mental associé au vieillissement n'est pas inévitable si vous gardez votre cerveau occupé. Trouvez des exercices qui stimulent les cinq sens – la vue, l'ouïe, l'odorat, le goût et le toucher – et notez dans un journal les améliorations que vous percevez de semaine en semaine.

958 ADOPTEZ UN PASSE-TEMPS

Le cerveau ralentit naturellement à partir de 30 ans. Cependant, de nouvelles études montrent que les gens de tous âges peuvent entraîner leur cerveau à être plus rapide, et, en effet, plus jeune. Les experts affirment que n'importe quel passe-temps qui demande de la concentration et qui est gratifiant rehaussera la capacité d'apprentissage et les fonctions mentales.

959 GOMME À MÂCHER

Des études ont démontré que l'action de mâcher de la gomme peut améliorer la mémoire à long-terme et la mémoire de travail. L'action de mâcher augmente le rythme cardiaque, améliore la livraison de l'oxygène et des nutriments au cerveau, et déclenche la sécrétion de l'insuline, qui sont tous des stimulants pour la mémoire.

960 RESTEZ BRANCHÉE

Faites un effort concerté pour rester au fait des progrès technologiques. Procurez-vous un iPod et téléchargez quelques morceaux de musique récente ou des balados (podcasts), ou connectez-vous à YouTube ou MySpace. N'essayez pas d'entrer en compétition avec les jeunes, mais simplement tenez-vous au courant des dernières tendances et sachez de quoi ils parlent.

961 MOTS CROISÉS

La recherche a démontré que le maintien d'un cerveau agile est tout aussi important que la forme physique pour rester jeune. Tout comme le corps, un cerveau paresseux a besoin d'exercices quotidiens. Faites des mots croisés ou des jeux de Sodoku chaque jour afin de stimuler les cellules du cerveau et de les garder actives et en santé. De tels exercices pourraient également prévenir ou retarder l'apparition de la maladie d'Alzheimer.

962 STOPPEZ LE DÉCLIN

Après l'âge de 35 ans, les cellules du cerveau meurent au rythme de 100 000 par jour et ne seront jamais remplacées. La méditation peut retarder ce déclin en changeant la composition vibrationnelle de l'esprit.

963 ATTEINDRE SES OBJECTIFS

Si vous voulez faire des changements dans votre vie, fixez-vous des objectifs réalisables. Il n'existe pas de solution miracle pour réparer les ravages du temps, mais la modification de mauvaises habitudes de vie vous donnera une attitude plus positive à l'égard de l'avenir.

964 PARTEZ À L'AVENTURE

Vous souvenez-vous comment le monde vous semblait jadis si excitant et comment vous étiez impatiente de le découvrir? Aucune raison de renoncer à ce sentiment de curiosité et d'anticipation seulement parce que vous avez vieilli. Planifiez un voyage d'aventure tel du *trecking* dans un autre pays ou visitez un endroit que vous n'avez jamais vu et dont vous avez toujours rêvé. Essayez la nourriture locale et faites une immersion totale dans une nouvelle culture. Une telle aventure stimule l'esprit et tous les sens : rien de mieux pour se sentir en vie…et plus jeune.

965 UN CHEMIN DIFFÉRENT

Effectuez quelques changements à vos habitudes quotidiennes pour rafraîchir votre vision du monde. Prenez un chemin différent si vous marchez pour vous rendre au travail et portez attention aux petits détails de ce nouvel environnement. Si vous utilisez la voiture, prenez occasionnellement une route plus longue et pittoresque. Prenez vos pauses à des heures différentes.

966 APPRENEZ UNE NOUVELLE LANGUE

L'apprentissage d'une langue seconde force le cerveau à continuellement changer de registre, ce qui constitue l'une des tâches mentales les plus exigeantes. Cette activité est particulièrement efficace pour aiguiser les lobes frontaux – le gestionnaire du cerveau – qui sont normalement affectés par le vieillissement.

967 UNE BONNE ÉDUCATION

Plusieurs d'entre nous rêvent d'apprendre à parler une nouvelle langue ou à jouer un instrument de musique, mais nous sommes malheureusement freinés par la crainte d'être plus « lents » que nous l'étions jeunes. Pourtant, la recherche a prouvé que plus nous sommes éduqués – peu importe l'âge –, plus nos chances de vivre longtemps et en santé augmentent.

968 AIMEZ CE QUE VOUS DÉTESTEZ

Pour contrer la paresse mentale, essayez d'accomplir des tâches pour lesquelles vous n'avez jamais eu beaucoup d'affection. Par exemple, si vous n'avez jamais aimé l'histoire, mémorisez quelques dates importantes; ou si vous avez toujours été allergique aux mathématiques, pratiquez vos compétences en comptabilité. Aller à contre-courant revigore l'esprit et rafraîchit la façon de penser.

969 BRISER LA ROUTINE

La routine et les situations prévisibles sont sécurisantes. Cependant, pour rester jeune, il faut parfois essayer de s'extirper de la routine, qui tend à scléroser la façon de penser. Essayez de faire quelque chose qui vous fait un peu peur : un défi audacieux comme sauter en parachute ou en bungee, ou une activité simple mais nouvelle comme un week-end en solo.

970 ASSISTANCE COGNITIVE

Certains médicaments qui ont été développés pour traiter certaines maladies comme l'Alzheimer et le Parkinson permettent d'améliorer les facultés d'apprentissage, la mémoire et la concentration.

soyez zen

971 SOURIRE LE BONHEUR

Rien n'est plus attirant qu'une personne arborant un magnifique sourire. Souriez! Vous aurez l'air jeune, heureuse et débordante de vie. Des études ont démontré que les gens qui se forcent à sourire finissent par être plus heureux au bout du compte… et ceux qui froncent constamment les sourcils se sentent plus déprimés.

972 CHASSEZ LES NUAGES

Ne vous laissez pas envahir par la peur et les inquiétudes au point où elles dominent votre vie entière. Un esprit inquiet nuit à l'atteinte de la sérénité et épuise les réserves d'énergie. Vous vous sentirez vieille avant l'âge.

973 LA VIE EST BELLE

Apprenez à être bien avec vous-même. Cessez de comparer votre vie, votre apparence ou votre situation financière à celles des autres. Aucune chirurgie ne réussira à changer la façon dont vous vous sentez à l'intérieur de vous-même. Pour vieillir en beauté et avec grâce, rien n'est plus important qu'une nature optimiste, un réseau d'amis fidèles et un certain sentiment de contrôle sur sa vie.

974 LE SÉLÉNIUM POUR L'HUMEUR

Lorsque le United States Department of Agriculture a offert une alimentation contenant 220 mcg de sélénium par jour à des jeunes hommes (l'Américain moyen en consomme de 40 à 60 mcg par jour), ils ont rapporté des sentiments d'euphorie et de clarté d'esprit, de même qu'une augmentation de la confiance en soi et des niveaux d'énergie.

975 DONNER DU SANG

Retroussez vos manches et donnez du sang. Ce geste sauve des vies et vous rappellera qu'il existe des gens dans le besoin, encore plus fragiles que vous. Vous bénéficierez en plus d'un examen de la pression artérielle, du pouls et du taux d'hémoglobine.

976 REPAS MATINAL

Les gens qui mangent un bon petit-déjeuner sont plus heureux, et plusieurs études ont démontré que le repas du matin a une influence positive sur les fonctions mentales et physiologiques. Le corps a besoin d'alimentation après une nuit de sommeil et ceux qui mangent un petit déjeuner sain ont des niveaux de concentration plus élevés durant la matinée.

977 BEAUTÉ INTÉRIEURE

Rien ne sert de se comparer à des top modèles, à des stars d'Hollywood ou même à cette maman parfaite que vous croisez tous les jours dans les corridors de l'école. Cessez de vous demander ce que les autres pensent de vous. La beauté authentique est une question de confiance en soi et non de tour de taille ou de portefeuille. Commencez à vous aimez telle que vous êtes et vous allez irradier de beauté intérieure.

978 LUMIÈRE DU MATIN

Soyez plus heureux en vous levant plus tôt le matin. Des chercheurs de l'Université de Californie ont trouvé que la lumière matinale augmente le taux de l'hormone lutéinisante de plus de 70 %. Cette hormone aide à augmenter la masse musculaire, à réduire la graisse et à stimuler l'humeur.

979 ICI ET MAINTENANT

Nous avons toujours de bonnes excuses pour justifier le fait que nous mangeons mal, que nous n'avons pas assez de temps pour faire de l'exercice, que nous buvons trop d'alcool. La vérité, c'est que nous avons le pouvoir de changer les choses que nous n'aimons pas dans notre vie. Un engagement réel à faire de petits changements peut mener à une vie épanouissante, en meilleure santé.

980 QUE DE BONS SOUVENIRS

Des chercheurs ont découvert que, avec l'âge, les gens ressentent de moins en moins d'émotions négatives et ont davantage de contrôle sur leurs émotions. Ils ont également tendance à mettre l'emphase sur les souvenirs positifs et à minimiser les négatifs. Vivez pleinement ces avantages du vieillissement en écartant les pensées négatives qui se présentent à votre esprit.

981 BON SAMARITAIN

La bonté et la gentillesse sont de belles qualités qui comportent aussi des bienfaits sur le plan physique et mental. Une bouffée d'euphorie, suivie d'une période plus longue de calme, a été surnommée « l'euphorie de l'aidant », un état qui déclenche la sécrétion d'endorphines et qui pourrait soulager la dépression.

982 CARPE DIEM

Les gens qui maximisent chaque opportunité, qui sont ouverts aux nouvelles expériences et qui écoutent leur instinct ont plus de chances de forger leur propre destin, de rehausser leur estime de soi et de générer de l'énergie positive.

983 JEUNE DE COEUR

Assurez-vous que votre groupe d'amis inclue des gens beaucoup plus jeunes. Fréquenter des jeunes, qui ont généralement une approche plus optimiste et moins cynique face à la vie, aura une influence positive sur votre propre attitude. Vous vous sentirez plus énergique…et plus jeune.

984 LES SECRETS D'APHRODITE

La science a démontré que les sentiments d'amour et de confiance partagés au sein d'un couple, de même qu'une saine vie sexuelle, favorisent un état de bien-être chez l'être humain. Les relations sexuelles gratifiantes libèrent des endorphines dans le cerveau, créant ce sentiment de contentement qui accompagne l'amour. Elles peuvent également agir comme un tranquillisant naturel qui calme la nervosité et favorise le sommeil, tout en vous gardant en forme, en santé et jeune de cœur. Pourquoi s'en priver?

985 COMME UNE MADELEINE

La recherche a démontré qu'il peut être bénéfique de pleurer de temps en temps. Les larmes apaisent la tension, éliminent les toxines et augmentent la capacité du corps à se régénérer. Après une crise de larmes, le corps est inondé d'oxygène, ce qui stimule la production d'hormones de bonheur dans le corps.

986 GROS CÂLINS

Des études ont démontré que faire des câlins diminue le niveau des hormones liées au stress et stimule la production de sérotonine dans le cerveau. L'affection et les câlins stimulent la production d'endorphines et d'ocytocine, ce qui vous fera sentir plus heureuse et plus jeune.

987 ANTIDÉPRESSEUR NATUREL

Si vous êtes sujette à la dépression, agissez en prévention en prenant régulièrement un supplément de millepertuis. Dans des essais cliniques, ce remède galénique a démontré une certaine efficacité pour le soulagement de la dépression légère et de l'anxiété. Consultez toutefois un professionnel de la santé avant d'amorcer le traitement.

988 UNE BONNE DISCUSSION

L'interaction sociale favorise un état de relaxation et de bonheur chez les femmes. Des études récentes suggèrent que l'action de parler déclenche un déluge de substances chimiques dans le cerveau qui – toujours selon les experts – serait comparable à l'euphorie suscitée par l'héroïne chez les accros!

989 TROUVEZ L'AMOUR

Plus facile à dire qu'à faire…mais devenir amoureux engendre un déferlement d'endorphines dans le cerveau (dopamine, norépinephrine, phényléthylamine) qui suscitent des émotions incontrôlables d'euphorie. Cette bouffée soudaine de substances chimiques explique les joues rouges et le cœur qui bat la chamade. Vous vous sentirez rajeunir de plusieurs années. Si l'amour véritable s'avère difficile à trouver, cultivez les flirts et les infatuations enivrantes : vous libérerez autant d'endorphines… en vous amusant!

990 FRAGRANCE DE BONHEUR

Offrez-vous un luxe enchanteur en portant un nouveau parfum, en faisant brûler des chandelles délicatement parfumées ou en vaporisant le salon d'un parfum d'intérieur. Les odeurs ont un pouvoir inouï : elles stimulent la mémoire et peuvent vous faire revivre des souvenirs chargés d'émotions positives. Elles ont également un effet apaisant.

981 LE BONHEUR EN COUPLE

Des études révèlent que les gens mariés ou vivant au sein d'un couple harmonieux ont 50 % moins de risques de maladies. Les couples mariés vivent plus longtemps, sont moins stressés et ont moins de chances de subir une crise cardiaque.

982 LA MÉLODIE DU BONHEUR

Vous vous sentez déprimée? Mettez votre musique préférée et offrez-vous une session privée de karaoké! L'acte physique de chanter à voix haute et forte, combiné aux bienfaits d'une respiration rythmée, favorise un sentiment de bien-être.

983 RIRE AUX ÉCLATS

Le rire pourrait bel et bien être le meilleur remède à tous les maux. L'acte de rire augmente le flux sanguin de plus de 20 %, soit autant que les activités aérobiques. Alors relaxez devant un bon film comique et n'hésitez pas : riez aux éclats! Vous serez mieux équipée pour combattre les infections, soulager la douleur et contrôler le diabète. Les gens qui rient tous les jours renforcent leur système immunitaire et vivent plus longtemps.

984 CULTIVEZ UN JARDIN

Le jardinage est un passe-temps fantastique pour améliorer l'humeur et soulager la tension. Totalement zen, le jardinage permet de se reconnecter avec la terre et la nature, demande un effort physique bénéfique pour la santé et donne de belles joues roses en prime!

985 VOUS LE MÉRITEZ

Les femmes sont naturellement portées à s'occuper davantage des autres que d'elles-mêmes, à un point tel qu'elles finissent souvent par s'oublier complètement. Réservez du temps dans votre semaine pour faire quelque chose qui vous plaît : un café avec une amie, une sortie au cinéma, un nouveau passe-temps. Trouvez des activités qui vous rendent vraiment heureuses : vous verrez une augmentation de votre confiance en vous-même et de votre bien-être en général.

986 MANGEZ MIEUX

La nourriture peut avoir une influence directe sur les neurotransmetteurs qui sont responsables de l'humeur. Pour favoriser une humeur agréable, combinez des protéines maigres à des hydrates de carbones complexes. Évitez les gras saturés et les aliments préparés.

997 CHAQUE JOUR COMPTE

Profitez de chaque moment : vous retirerez une plus grande satisfaction de la vie et ressentirez une paix intérieure. Transformez chaque jour en une occasion spéciale. Portez vos vêtements neufs et votre meilleur parfum et buvez cette bouteille de champagne que vous gardez depuis trop longtemps.

998 RALENTISSEZ

Un train de vie effréné et l'usage de stimulants comme l'alcool et la caféine pour augmenter les niveaux d'adrénaline sont très dommageables pour la santé. Ils affaiblissent le système immunitaire, affectent la digestion et causent des variations d'humeur. Réservez du temps pour vous-même chaque jour pour simplement contempler la vie.

999 SANS SOUCIS

Le stress et l'inquiétude entraînent le froncement des sourcils. Avec le temps, les muscles finissent par se conformer au mouvement et les rides apparaissent. Soyez toujours consciente de votre niveau de stress et essayez de varier vos expressions faciales durant la journée. Et surtout, riez! C'est une excellente façon de combattre le stress et un exercice fantastique pour les muscles du visage.

1000 PARFUM D'ARTISTE

On croit que le parfum contribue à stimuler la créativité et la résolution de problème. Appliquez de petites touches de votre parfum préféré sur vos poignets et vos clavicules, mais pas derrière les oreilles : la peau grasse de cette région pourrait interférer avec les molécules du parfum.

1001 DITES-LE AVEC DES FLEURS

Des recherches menées à l'Université du Texas A&M ont révélé que les fleurs et les plantes pourraient aider à stimuler la créativité et à favoriser un sentiment de bien-être. Un simple bouquet de fleurs odorantes suffira à répandre dans toute la maison un parfum de bonheur.

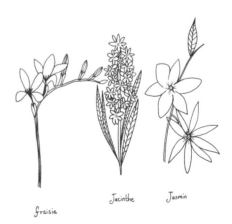

Fraisia   Jacinthe   Jasmin